Para

com votos de paz.

/ /

Divaldo Franco

Pelo Espírito Joanna de Ângelis

Adolescência e Vida

Salvador
15. ed. – 2024

COPYRIGHT © (1997)
CENTRO ESPÍRITA CAMINHO DA REDENÇÃO
Rua Jayme Vieira Lima, 104
Pau da Lima, Salvador, BA.
CEP 412350-000
SITE: https://mansaodocaminho.com.br
EDIÇÃO: 15. ed. (4ª reimpressão) – 2024
TIRAGEM: 3.000 exemplares (milheiro: 74.800)
COORDENAÇÃO EDITORIAL
Lívia Maria C. Sousa

REVISÃO
Adilton Pugliese • Plotino da Matta
CAPA
Cláudio Urpia
MONTAGEM DE CAPA
Ailton Bosco
EDITORAÇÃO ELETRÔNICA
Lívia Maria C. Sousa
COEDIÇÃO E PUBLICAÇÃO
Instituto Beneficente Boa Nova

PRODUÇÃO GRÁFICA
LIVRARIA ESPÍRITA ALVORADA EDITORA – LEAL
E-mail: editora.leal@cecr.com.br

DISTRIBUIÇÃO
INSTITUTO BENEFICENTE BOA NOVA
Av. Porto Ferreira, 1031, Parque Iracema. CEP 15809-020
Catanduva-SP.
Contatos: (17) 3531-4444 | (17) 99777-7413 (WhatsApp)
E-mail: boanova@boanova.net
Vendas on-line: https://www.livrarialeal.com.br

Dados Internacionais de Catalogação na Publicação (CIP)
(Catalogação na fonte)
BIBLIOTECA JOANNA DE ÂNGELIS

F825 FRANCO, Divaldo Pereira. (1927)

Adolescência e vida. 15. ed. / Pelo Espírito Joanna de Ângelis [psicografado por] Divaldo Pereira Franco. Salvador: LEAL, 2024.
160 p.
ISBN: 978-85-61879-89-1

1. Espiritismo 2. Psicografia 3. Adolescência
I. Franco, Divaldo II. Título

CDD: 133.93

Bibliotecária responsável: Maria Suely de Castro Martins – CRB-5/509

Súmula

ADOLESCÊNCIA E VIDA

À medida que a Ciência e a Tecnologia ampliaram os horizontes do conhecimento humano, proporcionando comodidades e realizações edificantes que favorecem o desenvolvimento da vida, vêm surgindo audaciosos conceitos comportamentais que pretendem dar novo sentido à existência humana, consequentemente derrapando em abusos intoleráveis que conspiram contra o desenvolvimento moral e ético da sociedade.

Nesse sentido, as grandes vítimas da ocorrência são os jovens que, imaturos, se deixam atrair pelos disparates das sensações primárias, comprometendo a existência planetária, às vezes, de forma irreversível.

Dominados pelos impulsos naturais do desenvolvimento físico antes do mesmo fenômeno na área emocional, encontram, nas dissipações que se permitem, expressões vigorosas de prazer que os anestesiam ou os excitam à exaustão, levando-os ao desequilíbrio e ao desespero. Quando cansados ou inquietos tentam fugir da situação, quase sempre enveredando pelo abuso do sexo e das drogas, que se associam em descalabro cruel, gerando sofrimentos inqualificáveis.

O único antídoto, porém, ao mal que se agrava e se irradia em contágio pernicioso, é a educação. Consideramos, porém, a educação no seu sentido global, aquela que vai além dos compêndios escolares, que reúne os valores éticos da família, da sociedade e da religião. Não, porém, de uma religião convencional, e sim, que possua fundamentos científicos e filosóficos existenciais estribados na moral vivida e ensinada por Jesus.

Nesse sentido, a preocupação do pensamento espiritual é antiga, porquanto o Eclesiastes preconiza, no seu capítulo 11, versículo 9: Alegra-te, mancebo, na tua mocidade, e recreie-se o teu coração nos dias da tua mocidade, e anda pelos caminhos do teu coração, e pela vista dos teus olhos; sabe, porém, que por todas estas coisas te trará Deus a juízo.

A advertência saudável ao jovem é um convite ao comportamento moral equilibrado, de forma que a sua mocidade esteja em alegria e pureza, a fim de evitar comprometimentos infelizes.

Mais adiante, no capítulo 11, versículo 10, volta o mesmo livro a advertir: Afasta, pois, a ira do teu coração e remove da tua carne o mal, porque a adolescência e a juventude são vaidade.

Certamente vãos são os momentos de ilusão e engano, muito comuns no período juvenil, quando os sonhos e as aspirações se confundem com falsas necessidades de realização humana, que exige sacrifício, dedicação, estudo e comportamento dignificante.

Seguindo o mesmo comportamento, o apóstolo Paulo, escrevendo a Timóteo (I,4:12) propôs: Ninguém despreze a tua mocidade, mas te torna o exemplo para os fiéis na palavra, no procedimento, no amor, na fé, na pureza.

De grande atualidade, a determinação paulina tem caráter de terapia preventiva contra os males que hoje predominam no organismo social, se considerarmos que é comum notar-se a presença do progresso em muitas cidades, pelo número e o luxo dos bordéis que se encontram no limite da sua periferia urbana.

Torna-se urgente o compromisso de um reestudo por parte dos pais e educadores em relação à conduta moral que deve ser ministrada às gerações novas, a fim de evitar a grande derrocada da cultura e da civilização, que se encontram no bordo mais sombrio da sua história.

Esse investimento, que não pode tardar, é de vital importância para a construção da nova Humanidade, partindo da criança e do adolescente, antes que os comprometimentos de natureza moral negativa lhes estiolem os ideais de beleza e de significado que devem possuir em relação à vida.

O estado de infância e de juventude é relevante para o Espírito em crescimento, razão pela qual, dentre os animais, o ser humano é o que o tem mais demorado, quando se lhe fixam os caracteres, os hábitos e se delineiam as possibilidades de enriquecimento para o futuro.

O ser humano é essencialmente resultado da educação, carregando os fatores genéticos que o compõem como consequência das experiências anteriores, em reencarnações transatas. Modelá-lo sempre, tendo em vista um padrão de equilíbrio e de valor elevado, faculta-lhe o desenvolvimento dos valores que lhe dormem latentes e se ampliam, possibilitando a conquista da meta a que se destina, que é a perfeição.

A criança e o adolescente, no entanto, que se apresentam ingênuos, puros, na acepção de desconhecimento dos erros, nem sempre o são em profundidade, porquanto o Espírito que neles habita é viajor de longas jornadas, em sucessivas experiências, nas quais nem sempre se desincumbiu com o valor que seria esperado, antes contraindo débitos que devem ser ressarcidos na atual existência. Em razão disso, torna-se necessária e indispensável a educação no sentido mais amplo e profundo, de maneira que lhes sejam lícitas a libertação dos vícios anteriores e a aquisição de novos valores que os contrabalancem, superando-os.

Cuidar de infundir-lhes costumes sãos desde os primeiros dias da existência física, porquanto a tarefa da educação começa no instante da vida extrauterina, e não mais tarde, quando o ser está habilitado para a instrução.

Para esse formoso mister são indispensáveis o amor, o conhecimento e a disciplina, de maneira que se lhes insculpam no imo as lições que os acompanharão para sempre.

Assim pensando, estudamos, no pequeno livro que ora apresentamos ao caro leitor, vários temas relacionados com a adolescência, a fim de contribuir de alguma forma com a palpitante questão que está desafiando psicólogos, pedagogos, sociólogos, teólogos e principalmente os pais na maneira de conduzir os jovens.

Temos consciência de que a nossa é uma colaboração modesta, no entanto desejamos colocar um grão de areia, humilde como é, na grande edificação da sociedade do futuro, quando haverá mais justiça social e menos soma de atribulações para a criatura humana que, neste momento, caminha pelos pés da infância e da juventude.

Aracaju, 27 de março de 1997.
Joanna de Ângelis

1

Adolescência – fase de transição e de conflitos

A adolescência é o período próprio do desenvolvimento físico e psicológico, que se inicia aproximadamente aos catorze anos para os rapazes e aos doze anos para as moças, prolongando-se até aos vinte e dezoito anos, respectivamente, nos países de clima frio, sendo que nos trópicos há uma variação para mais cedo.

Nessa fase, há um desdobramento dos órgãos secundários do sexo, dando surgimento aos fatores propiciatórios da reprodução, como sejam o espermatozoide no fluido seminal e o catamênio. Os rapazes experimentam alterações na voz, enquanto as moças apresentam desenvolvimento dos ossos da bacia, dos seios, o que ocorre com certa rapidez, normalmente acompanhados pelo surgimento da afetividade, do interesse sexual e dos conflitos na área do comportamento, como insegurança, ansiedade, timidez, instabilidade, angústia, facultando o espaço para desenvolvimento e definição da personalidade, aparecimento das tendências e das vocações.

Completando a reencarnação, o adolescente passa a viver a experiência nova, definindo os rumos do comportamento que o tempo amadurecerá através da vivência dos novos desafios.

Inadaptado ao novo meio social no qual se movimentará, sofre o conflito de não ser mais criança, encontrando-se, no entanto, sem estrutura organizada para os jogos da idade adulta. É, portanto, o período intermediário entre as duas fases importantes da existência terrena, que se encarrega de preparar o ser para as atividades existenciais mais profundas.

Inseguro quanto aos rumos do futuro, o jovem enfrenta o mundo que lhe parece hostil, refugiando-se na timidez ou expandindo o temperamento, conforme sejam as circunstâncias nas quais se apresentem as propostas de vida.

As bases de sustentação familiar, religiosa e social sentem-lhe os embates dos desafios que enfrenta, pois relaciona tudo quanto aprendeu com o que encontra pela frente.

Não possuindo a maturidade do discernimento, e fascinado pelas oportunidades encantadoras que lhe surgem de um para outro momento, atira-se com sofreguidão aos prazeres novos sem dar-se conta dos comprometimentos que passa a firmar, entregando-se às sensações que lhe tomam todo o corpo.

Outras vezes, vitimado por conflitos naturais que surgem da incerteza de como comportar-se, refugia-se no medo de assumir responsabilidades decorrentes das atitudes e faz quadros psicopatológicos, como depressão, melancolia, irritabilidade, escamoteando o medo que o assalta e o intimida.

Nos dias atuais, as licenças morais são muito agressivas, convidando o jovem, ainda inadequado para os jogos velozes do prazer, a lances audaciosos na área do sexo, que parece constituir-lhe a meta prioritária em que chafurda até o cansaço, dando surgimento à usança de recursos escapistas, que não atendem às necessidades presentes, antes mais o perturbam, comprometendo-o de maneira lamentável.

Nesse período, o corpo adolescente é um laboratório de hormônios que trabalham em favor das definições orgânicas, ao tempo em que o psiquismo se adapta às novas formulações, passando um período de ajustamento que deve facultar o amadurecimento dos valores éticos e comportamentais.

Como é compreensível, a escala de valorização da vida se modifica ante o mundo estranho e atraente que ele descortina, contestando tudo quanto antes lhe constituía segurança e estabilidade.

Os novos painéis apresentam-lhe cores deslumbrantes, e não encontrando conveniente orientação, educação consistente, firmadas no entendimento das suas necessidades, contesta e agride os valores convencionais, elaborando um quadro compatível com o seu conceito, no qual passa a comprazer-se, ignorando os cânones e paradigmas nos quais se baseiam os grupos sociais, que perdem, para ele, momentaneamente, o significado.

A velocidade da telecomunicação, a diminuição das distâncias através dos recursos da mídia, da computação, das viagens aéreas amedrontam os caracteres mais frágeis, enquanto estimulam os mais audaciosos, propondo-lhes o descobrimento do mundo e o sorver de todos os prazeres quase que de um só gole.

Os esportes, que se perdem num incontável número de propostas, chamam-no, e os outros deveres, aqueles que dizem respeito à cultura intelectual, à vivência religiosa, ao comportamento ético-moral, porque exigem sacrifícios mais demorados e respostas mais lentas, ficam à margem, quase sempre desprezados, em favor dos outros esforços que gratificam de imediato, ensoberbecendo o *ego* e exibindo a personalidade.

O culto do corpo, nos campeonatos de glorificação das formas, agrada, elaborando programas, às vezes de sacrifício inútil, em razão da própria fragilidade de que se reveste a matéria na sua transitoriedade orgânica e constitucional.

A música alucinante e as danças de exalçamento da sensualidade levam-no à ardência sexual, sem que tenha resistência para os embates do gozo, que exige novas e diferentes formas de prazer em constante exaltação dos sentidos.

A moderação cede lugar ao excesso e o equilíbrio passa a plano secundário, porque o jovem, nesse momento, receia perder as facilidades que se multiplicam e o exaurem, sem dar-se conta das finalidades reais da existência física.

O Espiritismo oferece ao jovem um projeto ideal de vida, explicando-lhe o objetivo real da existência na qual se encontra mergulhado, ora vivendo no corpo e, depois, fora dele, como um todo que não pode ser dissociado somente porque se apresenta em etapas diferentes. Explica-lhe que o

Espírito é imortal e a viagem orgânica constitui-lhe recurso precioso de valorização do processo iluminativo, libertador e prazenteiro.

Elucidando-o quanto ao investimento que a todos é exigido, desperta-o para a semeadura por intermédio do estudo, do exercício da aprendizagem, do equilíbrio moral pela disciplina mental e ação correta, a fim de poder colher por longos, senão todos os anos da jornada carnal, os resultados formosos, que são decorrentes do empenho pela própria dignificação.

Os pais e os educadores são convidados, nessa fase da vida juvenil, a caminharem ao lado do educando, dialogando e compreendendo-lhe as aspirações, porém exercendo uma postura moral que infunda respeito e intimidade, ao mesmo tempo fortalecendo a coragem e ajudando nos desafios que são propostos, para que ele se sinta confiante para prosseguir avançando com segurança no rumo do futuro.

São muito importantes essas condutas dos adultos, que, mesmo sem o desejarem, servem de modelos para os aprendizes que transitam na adolescência, porquanto os hábitos que se arraigarem permanecerão como definidores do comportamento para toda a existência física.

O amor, na sua abrangência total, será sempre o grande educador, que possui os melhores métodos para atender a busca do jovem, oferecendo-lhe os seguros mecanismos que facilitam o êxito nos empreendimentos encetados, assim como nos porvindouros.

Continência moral, comedimento de atitudes constituem preparativos indispensáveis para a formação da personalidade e do caráter do jovem, nesse período de claro-escuro discernimento, para o triunfo sobre si mesmo e sobre as dificuldades que enfrentam todas as criaturas, durante a marcha física na Terra.

2
O ADOLESCENTE E A SUA SEXUALIDADE

A ignorância responde por males incontáveis que afligem a criatura humana e confundem a sociedade. Igualmente perversa é a informação equivocada, destituída de fundamentos éticos e carente de estrutura de lógica.

Na adolescência, o despertar da sexualidade é como o romper de um dique, no qual se encontram represadas forças incomensuráveis, que se atiram, desordenadas, produzindo danos e prejuízos em relação a tudo quanto encontram pela frente.

No passado, o tema era tabu, que a ignorância e a hipocrisia preferiam esconder, numa acomodação na qual a aparência deveria ser preservada, embora a conduta moral muitas vezes se encontrasse distante do que era apresentado.

Estabelecera-se, sub-repticiamente, que o imoral era a sociedade tomar conhecimento do fato servil e não o praticar às ocultas.

À medida que os conceitos se atualizaram, libertando-se dos preconceitos perniciosos, ocorreu o desastre da libertinagem, sem que houvesse mediado um período de amadurecimento emocional entre o proibido e o liberado, o que era considerado vergonhoso e sujo e o que é biológico e normal.

Evidentemente, após um largo período de proibição imposta pela hegemonia do pensamento religioso arbitrário, ao ser ultrapassado pelo imperativo do progresso, surgiriam a busca pelo desenfreado gozo a qualquer preço e a entrega aos apetites sexuais, como se a existência terrena se resumisse unicamente nos jogos e nas conquistas da sensualidade, terminando pelo tombo nas excentricidades, nos comportamentos patológicos e promíscuos do abuso.

A sociedade contemporânea encontra-se em grave momento de conduta em relação ao sexo, particularmente na adolescência. Superada a ignorância do passado, contempla, assustada, os desastres morais do presente, sofrendo terríveis incertezas acerca do futuro.

A orientação sexual sadia é a única alternativa para o equilíbrio na adolescência, como base de segurança para toda a reencarnação.

A questão, faça-se justiça, tem sido muito debatida, porém as soluções ainda não se fizeram satisfatórias. A visão materialista da vida, estimulando uma filosofia hedonista, responde pelos problemas que se constatam, em razão do conceito reducionista a que se encontra relegada a criatura humana.

Sem dúvida, o sexo faz parte da vida física, entretanto, tem implicações profundas nos refolhos da alma, já que o ser humano é mais do que o amontoado de células que lhe constituem o corpo.

Por essa razão, os conflitos se estabelecem, tendo-se em vista a sua realidade espiritual, com anterioridade à forma atual, e complexas experiências vividas antes, que não foram felizes.

Talvez, em razão de ignorarem ou negarem a origem do ser, como Espírito imortal que é, inúmeros psicólogos, sexólogos e educadores limitam-se, com honestidade, a preparar a criança de forma que apenas conheça o corpo, identifique suas funções, entre em contato com a sua realidade física. A proposta é saudável, inegavelmente; todavia, o corpo reflete os hábitos ancestrais, que provêm das experiências anteriores, vivenciadas em outras existências corporais, que imprimiram *necessidades*, anseios, conflitos ou harmonias que ora se apresentam com predominância no comportamento.

O conhecimento do corpo, a fim de assumir-lhe os impulsos, propele o adolescente para a promiscuidade, a perversão, os choques que decorrem das frustrações, caso não esteja necessariamente orientado para entender o complexo mecanismo da função sexual, particularmente nas suas expressões psicológicas.

Inseguranças e medos, muito comuns na adolescência, procedem das atividades mal vividas nas jornadas anteriores, que imprimiram *matrizes* emocionais ou limitações orgânicas, deficiências ou exaltação da libido, preferências perturbadoras que exigem correta orientação, assim como terapia especializada.

Aos pais cabe a tarefa educativa inicial. Todavia, mal equipados de conhecimentos sobre conduta sexual, castram os filhos pelo silêncio constrangedor a respeito do tema, deixando-os desinformados, a fim de que aprendam com os colegas pervertidos e viciados, ou os liberam, ainda sem estrutura psicológica, para que atendam aos impulsos orgânicos, sem qualquer ética ou lucidez a respeito da ocorrência e das suas consequências inevitáveis.

Reunindo-se em grupos para intercâmbio de opiniões e experiências de curiosidade, os adolescentes ficam à mercê de profissionais do vício, que os aliciam mediante as imagens da mídia perversa e doentia ou da prostituição, hoje disfarçada de intercâmbio descompromissado, para atender àqueles impulsos orgânicos ou de viciação mental, em relacionamentos rápidos quão insatisfatórios.

Quando se pretende transferir para a Escola a responsabilidade da educação sexual, corre-se o risco, que deverá ser calculado, de o assunto ser apresentado com leveza, irresponsabilidade e perturbação do próprio educador, que vive conflitivamente o desafio, sem que o haja solucionado nele próprio de maneira correta.

Anedotário chulo, palavreado impróprio, exibição de aberrações, normalmente são utilizados como temas para as aulas de sexo, a desserviço da orientação salutar, mais aturdindo os adolescentes tímidos e inseguros e tornando cínicos aqueles mais audaciosos.

A questão da sexualidade merece tratamento especializado, conforme o exige a própria vida.

O ser humano não é somente *um animal sexual*, mas também racional, que desperta para o comando dos instintos sob o amparo da consciência.

Todos os seus atos merecem consideração, em face dos efeitos que os sucedem.

No que diz respeito ao sexo, este requer o mesmo tratamento e dignificação que são dispensados aos demais órgãos, com o agravante de ser o aparelho reprodutor, que possui uma alta e expressiva carga emocional, desse modo requisitando maior soma de responsabilidade, assim como de higiene e respeito moral.

O controle mental, a disciplina moral, os hábitos saudáveis no preenchimento das horas, o trabalho normal, a oração ungida de amor e de entrega a Deus constituem metodologia correta para a travessia da adolescência e o despertar da *idade da razão* com maturidade e equilíbrio.

O sexo orientado repousa e se estimula na aura do amor, que lhe deve constituir o guia seguro para equacionar todos os problemas que surgem e preservá-lo dos abusos que alucinam.

Sexo sem amor é agressão brutal na busca do prazer de efêmera duração e de resultado desastroso, por não satisfazer nem acalmar.

Quanto mais seja usado em mecanismo de desesperação ou fuga, menos tranquilidade proporciona.

Tendo-se em vista a permuta de hormônios e o fenômeno biológico procriativo, o sexo deve receber orientação digna e natural, sem exagero de qualquer natureza ou limitação absurda, igualmente desastrosa.

A força não canalizada, deixada em desequilíbrio, danifica e destrói, seja ela qual for. A de natureza sexual tem conduzido a história da Humanidade, e, porque, nem sempre foi orientada corretamente, os desastres bélicos que sucederam as hecatombes morais, sociais, espirituais, têm sido a colheita dos grandes conquistadores e líderes doentios, reis e ditadores ignóbeis, que dominaram os povos, arrastando-os em cativeiros hediondos, porque não conseguiram dominar-se, controlar essa energia em desvario que os alucinava.

Examine-se qualquer déspota, e nele se encontrarão registros de distúrbios na área do comportamento sexual.

Desse modo, na fase da irrupção da adolescência e dos órgãos secundários, impõe-se o dever de completar-se a orientação do sexo, que deve ser iniciada na infância, de forma que o jovem se dê conta de que ele existe em função da vida, e não esta como instrumento dele.

3
O ADOLESCENTE E O SEU PROJETO DE VIDA

A partir de Freud, o conceito de sexo sofreu uma quase radical transformação. O eminente *Pai da Psicanálise* procurou demonstrar que a sexualidade é algo maior do que se lhe atribuía até então, quando reduzida somente à função sexual. Ficou estabelecido que ela tem muito mais a ver com o indivíduo no seu conjunto, do que específica e unicamente com o órgão genital, exercendo uma forte influência na personalidade do ser.

Naturalmente, houve excesso na proposta em pauta, nos seus primórdios, chegando-se mesmo ao radicalismo, que pretendia ser a vida uma função totalmente sexual, portanto, perturbadora e conflitiva.

Sempre se teve como fundamental que a vida sexual tinha origem na puberdade, no entanto, sempre também se constataram casos de manifestações prematuras do sexo, em razão do amadurecimento precoce das glândulas genésicas.

A Freud coube a tarefa desafiadora de demonstrar a diferença existente entre a glândula genital, responsável pela função procriadora, e a de natureza sexual, que se encontra ínsita na criança desde o seu nascimento, experimentando as naturais transformações que culminariam na sexualidade do ser adulto. Ainda, para Freud, a função de natureza sexual é resultado da aglutinação de diversos instintos – heranças naturais do trânsito do ser pelas fases primárias da vida, nas quais houve predominância da natureza animal, portanto, instintiva – que se vão transformando, organizando e completando-se até alcançarem o momento da reprodução, igualmente ligada àquele período inicial da evolução dos seres na Terra.

No transcurso desse desenvolvimento dos denominados *instintos parciais*, muitos fatores ocorrem naturalmente, sendo asfixiados, transferidos psicologicamente, alterados, dando nascimento a inúmeros conflitos da personalidade. A personalidade, desse modo, é o resultado de todas essas alterações que sucedem nas faixas primeiras da vida e que são modificadas, transformadas e orientadas de forma a construir o ser equilibrado.

Trata-se, portanto, de uma força interior que se desenvolve no ser humano e quase o domina por inteiro, estabelecendo normas de conduta e de atividade, que o fazem feliz ou desventurado, saudável ou enfermo.

Para entender esse mecanismo é indispensável remontar às reencarnações anteriores pelas quais deambulou o Espírito, que se torna herdeiro do patrimônio das suas ações, ora atuantes, como desejos, tendências, manifestações sexuais impulsivas ou controladas.

Houvesse, o eminente vienense, recuado à ancestralidade do ser imortal, superando o preconceito que lhe hipertrofiava a visão científica, reduzindo-a, apenas, à matéria, e teria conseguido equacionar de forma mais segura os problemas do sexo e da sexualidade.

Não obstante, essa força poderosa é que, de certa forma, influencia a vida, no campo das sensações, levando a resultados emocionais que se estabelecem no psiquismo e comandam a existência humana que, mal orientada, pouco difere da animal.

É nesse período, na adolescência, que se determinam os programas, os projetos de vida que se tornarão realidade, ou não, de acordo com o estado emocional do jovem.

Convencionou-se que esses programas existenciais devem ser estruturados na visão ainda imediatista, isto é, no amealhar de uma fortuna, no desfrutar do conforto material, no adquirir bens, no ter segurança no trabalho, na liberalidade afetiva, no prazer... Muitos programas têm sido estabelecidos dentro desses limites, que pareceram dar certo no passado, mas frustraram pessoas que se estiolaram na amargura, no desconforto moral, na ansiedade malcontida.

O ser humano destina-se a patamares mais elevados do que aqueles que norteiam o pensamento materialista, quais sejam, o equilíbrio interior, o domínio de si mesmo, o idealismo, a harmonia pessoal, a boa estruturação psicológica, e, naturalmente, os recursos materiais para tornar esses propósitos realizáveis.

Para tanto, o propósito de vida do jovem deve centrar-se na busca do conhecimento, na vivência das disciplinas morais, a fim de preparar-se para as lutas nem sempre fáceis da escalada evolutiva, na reflexão, também na alegria de viver, nos prazeres éticos, na recreação, nos quais encontra resistência e renovação para os deveres que são parte integrante do seu processo de crescimento pessoal.

Somente quem se dispõe a administrar os desafios, consegue planar acima das vicissitudes, que passam a ter o significado que lhes seja atribuído. Quando se dá a inversão de metas, ou seja, a necessidade de gozo e de desfrutar de todas as comodidades juvenis, antes de equipar-se de valores morais e de segurança psicológica pelo amadurecimento das experiências e vivências, inevitavelmente o sofrimento, a insatisfação, a angústia substituem os júbilos momentâneos e vãos.

O adolescente atual é Espírito envelhecido, acostumado a realizações, nem sempre meritórias, o que lhe produz anseios e desgostos aparentemente inexplicáveis, insegurança e medo sem justificativa, que são remanescentes de sua *consciência de culpa*, em razão dos atos praticados, que ora veio reparar, superando os limites e avançando com outro direcionamento pelo caminho da iluminação interior, que é o essencial objetivo da vida.

O projeto de uma vida familiar, de prestígio na sociedade, de realizações no campo de atividades artísticas ou profissionais, religiosas ou filosóficas, é credor de carinho e de esforço, porque deve ser fixado nos painéis da mente como desafio a vencer e não como divertimento a fruir. Todo o esforço, em contínuo exercício de fazer e refazer tarefas; a decisão de não abandonar o propósito em tela, quando as circunstâncias não forem favoráveis; o controle dos impulsos que passarão a ser orientados pela razão, em vez de encontrarem campo na agressividade, na violência, no abuso juvenil, constituem os melhores instrumentos para que se concretize a aspiração e se torne realidade o programa da existência terrena.

O adolescente está em formação e, naturalmente, possuindo forças que devem ser canalizadas com equilíbrio para que não o transtornem, necessita de apoio e de discernimento, de orientação familiar, porque lhe falta a experiência que melhor ensina os rumos a seguir em qualquer tentame de vida.

Nesse período, muitos conflitos perturbam o adolescente, quando tem em mira o seu projeto de vida ainda não definido. Surgem-lhe dúvidas atrozes na área profissional, em relação ao que sente e ao que dá lucro, ao que aspira e ao que se encontra em moda, àquilo que gostaria de realizar e ao aspecto social, financeiro da escolha... Indispensável ter em mente que os valores imediatos sempre são ultrapassados pelas inevitáveis ocorrências mediatas, que chegarão, surpreendendo o ser com o que ele é, e não apenas em relação ao que ele tem.

Caracteriza-se aqui a necessidade da autorrealização em detrimento do imediato possuir, que nem sempre satisfaz interiormente.

Há muitas pessoas que têm tudo quanto a vida oferece aos triunfadores materiais, e, no entanto, não se encontram de bem com elas mesmas. Outrossim, possuem tesouros que trocariam pela saúde; dispõem de haveres que doariam para fruírem de paz; desfilam nos carros de ouro dos aplausos e prefeririam as caminhadas afetivas entre carinho e segurança emocional...

Desse modo, o projeto existencial do adolescente não pode prescindir da visão espiritual da vida; da realidade transpessoal dele mesmo; das aspirações do nobre, do bom e do belo, que serão as realizações permanentes no seu interior, direcionando-lhe os passos para a felicidade.

Os haveres chegam e partem, são adquiridos ou perdidos, porém, o que se é permanece como diretriz de segurança e mecanismo de paz, que nada consegue perturbar ou modificar.

Para esse cometimento, a boa orientação sexual faz-se indispensável na fase de afirmação da personalidade do adolescente, como ocorre nos mais diferentes períodos da vida física.

4
O ADOLESCENTE DIANTE DA FAMÍLIA

Incontestavelmente, o lar é o melhor educandário, o mais eficiente, porque as lições aí ministradas são vivas e impressionáveis, carregadas de emoção e força. A família, por isso mesmo, é um conjunto de seres que se unem pela consanguinidade para um empreendimento superior, no qual são investidos valores inestimáveis que se conjugam em prol dos resultados felizes que devem ser conseguidos ao largo dos anos, graças ao relacionamento entre pais e filhos, irmãos e parentes.

Nem sempre, porém, a família é constituída por Espíritos afins, afetivos, compreensivos e fraternos.

Na maioria das vezes, a família é formada para auxiliar os equivocados a se recuperarem dos erros morais, a repararem danos que foram causados em outras tentativas nas quais malograram.

Assim, pois, há famílias-bênção e famílias-provação. As primeiras são aquelas que reúnem os Espíritos que se identificam nos ideais do lar, na compreensão dos deveres, na busca do crescimento moral, beneficiando-se pela harmonia frequente e pela fraternidade habitual. As outras são caracterizadas pelos conflitos que se apresentam desde cedo, nas animosidades entre os seus membros, nas disputas alucinadas, nos conflitos contínuos, nas revoltas sem descanso.

Amantes que se corromperam, e se abandonaram, renascem na condição de pais e filhos, a fim de alterarem o comportamento afetivo e sublimarem as aspirações; inimigos que se atiraram em duelos políticos, religiosos, afetivos, esgrimindo armas e ferindo-se, matando-se, retornam quase sempre na mesma consanguinidade, a fim de superarem as antipatias que remanescem; traidores de ontem agora se refugiam ao lado das vítimas para conseguir o seu perdão, vestindo a indumentária do parentesco próximo, porque ninguém foge dos seus atos. Aonde vai o ser, defronta-se com a sua realidade, que se pode apresentar alterada, porém, no âmago, é ele próprio.

A família, desse modo, é o laboratório moral para as experiências da evolução, que caldeia os sentimentos e trabalha as emoções, proporcionando oportunidade de equilíbrio, desde que o amor seja aceito como o grande equacionador dos desafios e das dificuldades.

Invariavelmente, por falta de estrutura espiritual e desconhecimento da Lei das Reencarnações, as pessoas que se reencontram na família, quase sempre, dão vazão aos seus sentimentos e, em vez de retificar os negativos, mais os fixam nos painéis do inconsciente, gerando novas aversões que complicam o quadro do relacionamento fraternal.

Às vezes, a afetividade como a animosidade são detectadas desde o período da gestação, predispondo os pais à aceitação ou à rejeição do ser em formação, que lhes ouvem as expressões de carinho ou lhes sentem as vibrações inamistosas, que se irão converter em conflitos psicológicos na infância e na adolescência, gerando distúrbios para toda a existência porvindoura.

Renasce-se, portanto, no lar, na família de que se tem necessidade, e nem sempre naquela que se gostaria ou que se merece, a fim de progredir e limar as imperfeições com o buril da fraternidade que a convivência propicia e dignifica.

Em razão disso, o adolescente experimenta na família esses choques emocionais ou se sente atraído pelas vibrações positivas, de acordo com os vínculos anteriores que mantém com o grupo no qual se encontra comprometido. Essa aceitação ou repulsão irá afetar de maneira muito significativa o seu comportamento atual, exigindo, quando negativa, terapia especializada e grande esforço do paciente, a fim de ajustar-se à sociedade, que lhe parecerá sempre um reflexo do que viveu no ninho doméstico.

A família equilibrada, isto é, estruturada com respeito e amor, é fundamental para uma sociedade justa e feliz. No entanto, a família começa quando os parceiros resolvem se unir sexualmente, amparados ou não pelo beneplácito das leis que regem as nações, respeitando-se mutuamente e compreendendo que, a partir do momento em que nascem os filhos, uma grande, profunda e significativa modificação se deverá dar na estrutura do relacionamento, que agora terá como meta a harmonia e felicidade do grupo, longe do egoísmo e do interesse imediatista de cada qual.

Infelizmente, não é o que ocorre, e disso resulta uma sociedade juvenil desorganizada, revoltada, agressiva, desinteressada, cínica ou depressiva, deambulando pelos rumos torpes das drogas, da violência, do crime, do desvario sexual...

Os pais devem unir-se, mesmo quando em dificuldade no relacionamento pessoal, a fim de oferecerem segurança psicológica e física à progênie.

Essa tarefa desafiadora é de grande valia para o conjunto social, mas não tem sido exercida com a elevação que exige, em razão da imaturidade dos indivíduos que se buscam para os prazeres, nos quais há uma predominância marcante de egoísmo, com altas doses de insensatez, desamor e apatia de um pelo outro ser com quem vive, quando as ocorrências não lhes parecem agradáveis ou interessantes.

Os divórcios e as separações, legais ou não, enxameiam, multiplicam-se em altas estatísticas de indiferença pela família, produzindo as tristes gerações dos *órfãos de pais vivos* e desinteressados, agravando a economia moral da sociedade, que lhes sofre o dano do desequilíbrio crescente.

O adolescente, em um lar desajustado, naturalmente experimenta as consequências nefastas dos fenômenos de agressividade e luta que ali têm lugar, escondendo as próprias emoções ou dando-lhes largas nos vícios, a fim de *sobreviver*, carregado de amargura e asfixiado pelo desamor.

Apesar dessa situação, cabe ao adolescente em formação da personalidade, compreender a conjuntura na qual se encontra localizado, aceitando o desafio e compadecendo-se dos genitores e demais familiares envolvidos na luta infeliz, como seres enfermos, que estão longe da cura ou se negam à terapia da transformação moral.

É, sem dúvida, o mais pesado desafio que enfrenta o jovem, pagar esse elevado ônus, que é entender aqueles que deveriam fazê-lo, ajudar aqueles que, mais velhos e, portanto, mais experientes, tinham por tarefa compreendê-lo e orientá-lo.

O lar é o grande formador do caráter do educando. Muitas vezes, no entanto, lares infelizes, nos quais as pugnas por nonadas fazem-se cruentas e constantes, não chegam a perturbar adolescentes equilibrados, porque são Espíritos saudáveis e ali se encontram para resgatar, mas também para educar os pais, servir de exemplo para os irmãos e demais familiares. Não sejam, pois, de estranhar, os exemplos históricos de homens e mulheres notáveis que nasceram em lares modestos, em meios agressivos, em famílias degeneradas, e superaram os limites, as dificuldades impostas, conseguindo atingir as metas para as quais reencarnaram.

Quando o espírito de dignidade humana viger nos adultos, que se facultarão amadurecer emocionalmente antes de assumirem os compromissos da progenitura, haverá uma mudança radical nas paisagens da família, iniciando-se a época da verdadeira fraternidade.

Quando o sexo for exercido com responsabilidade e não agressivamente; quando os indivíduos compreenderem que o prazer cobra um preço, e este, na união sexual, mesmo com os cuidados dos preservativos, é a fecundação, haverá uma mudança real no comportamento geral, abrindo espaço para a adolescência bem orientada na família em equilíbrio.

Seja, porém, qual for o lar no qual se encontre o adolescente, terá ele campo para a compreensão da fragilidade dos pais e dos irmãos, para avaliação dos seus méritos. Se não for compreendido ou amado, esforce-se para amar e compreender, tendo em vista que é devedor aos genitores, que poderiam haver interrompido a gravidez, e, no entanto, não o fizeram.

Assim, o adolescente tem, para com a família, uma dívida de carinho, mesmo quando essa não se dê conta do imenso débito que tem para com o jovem em formação. Nesse tentame, o de compreender e desculpar, orando, o adolescente contará com o auxílio divino que nunca falta e a proteção dos seus guias espirituais, que são responsáveis pela sua nova experiência reencarnatória.

5
O ADOLESCENTE NA BUSCA DA IDENTIDADE E DO IDEALISMO

O desabrochar da adolescência, à semelhança do que ocorre com o botão de rosa que se abre ante a carícia do Sol, desvela-lhe a intimidade que se encontra adormecida, e desperta, suavemente, aspirando a vida, exteriorizando aroma e oferecendo pólen para a fertilização e ressurgimento em novas e maravilhosas expressões.

A plenitude da vida, na fase da adolescência, estua e exterioriza-se, deixando que todos os conteúdos arquivados no inconsciente do ser passem a revelar-se, em forma de tendências, aptidões, anseios e tentativas de realização.

Nem sempre esse despertar é tranquilo, podendo, às vezes, ser uma irrupção vulcânica de energias retidas que estouram, produzindo danos. Noutras ocasiões pode expressar-se como sofrimento íntimo, caracterizado por fobias de aparência inexplicável, mas que procedem dos registros perispirituais mergulhados no inconsciente, que repontam como conflitos, *consciência de culpa*, pudor exacerbado, misticismo, em mecanismos bem elaborados de fuga da realidade.

Reencarnando-se, para reparar erros e edificar o bem em si mesmo, o Espírito atinge a adolescência orgânica, vivenciando o transformar de energias e hormônios sutis quão poderosos, que o despertam para as manifestações do sexo, mas também para as aspirações idealistas, desenvolvendo a busca da própria identidade.

Carregando a soma das *personalidades* vividas em outras reencarnações, a sua identificação com o mundo atual demanda tempo e amadurecimento, mediante os quais pode aquilatar quem realmente é e o que legitimamente deseja.

Não tendo o discernimento ainda para eleger o que é melhor, quase sempre se entrega à busca do mais imediato, porque mais simples, procurando acomodar-se às manifestações fisiológicas do comer, dormir, praticar sexo, vencer o tempo sem grande esforço. Trata-se de um atavismo pernicioso, que deve ser melhor direcionado, a fim de que seja descoberta a finalidade da existência e como alcançar esse patamar que o aguarda.

Se o lar oferece segurança afetiva e compreensão, o adolescente tem facilidade para selecionar os valores e aceitar aqueles que lhe são mais favoráveis para o progresso. Todavia, se o grupo familiar é traumatizante, foge para comportamentos oportunistas, que parecem afugentar as mágoas e libertá-lo do cárcere doméstico.

A influência dos pais é decisiva na elaboração e desenvolvimento do idealismo, na afirmação da própria identidade, sem que haja pressão ou autoritarismo dos genitores, antes oferecimento de meios para o diálogo esclarecedor, sem a sujeição aos conselhos castradores e impositivos, sempre de maus resultados.

Há uma tendência no jovem para fugir aos programas elaborados, às experiências vividas por outrem, ao aproveitamento da sabedoria dos *mais antigos*. Cada ser é uma realidade especial, que necessita vivenciar suas próprias aspirações, muitas vezes equivocando-se para melhor compreender o caminho por onde deve seguir. Em razão disso, experiência é uma conquista pessoal, que cada qual aprende pelo próprio esforço, não raro, através de erros que são corrigidos e insucessos que se fazem ultrapassados pelo êxito.

Quando alguém deseja impor seu *ponto de vista*, transfere realização não lograda, para que o outro a consiga, assim alegrando aquele que se lhe torna mentor.

A educação propõe e o educando aprende mediante o exercício, a reflexão, o amadurecimento.

Os *modelos* devem ser silenciosos, falando mais pelos exemplos, pela alegria de viver, pelos valores comprovados, em vez das palavras sonoras, mas cujas práticas demonstram o contrário.

Quando alguém convive com adolescente, encontra-se sob a *alça de mira* da sua acurada observação. Ele compara as atitudes com as palavras, o comportamento cotidiano com os conteúdos filosóficos, não acreditando senão naquilo que é demonstrado, jamais no que é proposto pelo verbo. Em razão disso, surgem os conflitos domésticos, nos quais os genitores dizem-se incompreendidos e não seguidos, olvidando-se de que são os responsáveis, até certo ponto, pelo insucesso das suas proposições.

A identidade de cada um tem suas características pessoais, e essas não podem, nem devem ser clones, nos quais se perde a individualidade.

A busca da identidade no adolescente é demorada, qual ocorre com o indivíduo em si mesmo, prolongando-se pelo período da razão, amadurecimento e velhice.

Por isso mesmo, nem sempre a avançada idade biológica é sinônima de sabedoria, de equilíbrio. Jovens há, maduros, enquanto idosos existem que permanecem aprisionados na *criança caprichosa* e renitente da infância não ultrapassada.

O idealismo brota do âmago do ser e deve ser cultivado pelos genitores, que estimularão as tendências positivas do filho, oferecendo-lhe os recursos emocionais e afetivos para que ele possa materializar a aspiração do mundo íntimo. Quando se revelar a tendência para o idealismo perverso, o desequilíbrio firmado no egoísmo, no capricho, nos desregramentos morais, é necessário ensinar-lhe a técnica de como canalizar as energias para o lado melhor da vida, propondo ideais práticos e mais imediatos, que sejam compensadores psicologicamente, de forma que a eleição opere-se com naturalidade, por meio da substituição daqueles que são perturbadores por esses outros que são satisfatórios.

Em vez das lutas contínuas, que se fazem imposições descabidas, enriquecidas de queixas e lamentações pelo investimento dirigido ao filho, a quem se informa não saber aproveitar tudo quanto recebe, é justo que todas as propostas sejam apresentadas de forma edificante, sem acusações nem rejeições, mas com espírito de tolerância e compreensão, até que o discernimento do adolescente aceite como fenômeno natural a contribuição, tendo em mente que a escolha foi própria e que isso é bom para ele, não porque outros assim o queiram, porém porque mais o conforta e agrada.

A adolescência é ainda fase de amoldamento, de adaptação, ao mesmo tempo de transformações, que merece e exige paciência e habilidade psicológica.

De um lado, existe o interesse familiar, que trabalha para o melhor do educando, mas por outra parte se encontra o grupo social, nem sempre equilibrado, na escola, no clube, na rua, no trabalho, *conspirando* contra as atitudes saudáveis que se deseja oferecer e que naturalmente atraem o adolescente, porque ele gosta de ser igual aos demais, não chamar a atenção, ou quando, em conflito, quer destacar-se, exibir-se, exatamente porque vive inseguro, experimenta dramas, que mascara sob a desfaçatez, o cinismo aparente...

Com o tranquilizar do fluxo sexual, mediante a reflexão e o trabalho, através do estudo e das aspirações superiores que se devem ministrar com cuidado, ele passa a identificar-se com o mundo, com as pessoas e por fim com ele mesmo. Essa autoidentificação é mais demorada, porque mais profunda, prolongando-se por toda a existência bem orientada pelo dever e pelas aspirações enobrecidas.

O idealismo torna-se-lhe um alimento que deve ser ingerido com frequência, a fim de que não haja carência emocional e perda de identidade no tumulto das propostas sociais, econômicas e artísticas...

Invariavelmente o Espírito reencarna para dar prosseguimento a tarefas que ficaram interrompidas, e ressurgem nos painéis mentais como aspirações e tendências mais acentuadas. Outras vezes, no entanto, deve começar a experimentar atividades novas, mediante as quais progredirá no rumo da vida e de Deus.

Na fase da insegurança pela adolescência, toda a vigilância é necessária, de modo a auxiliar o jovem a encontrar-se e a definir o seu ideal de vida, entregando-se-lhe confiante e rico de perseverança até conseguir a meta ambicionada.

6
O ADOLESCENTE: POSSIBILIDADES E LIMITES

Na quadra primaveril da adolescência tudo parece fácil, exatamente pela falta de vivência da realidade humana. O adolescente examina o mundo através das lentes límpidas do entusiasmo, quando se encontra em júbilo, ou mediante as pesadas manchas do pessimismo que no momento lhe dominam as paisagens emocionais. A realidade, no entanto, difere de uma como de outra percepção, sem os altos voos do encantamento nem os abismos profundos do existencialismo negativo.

A vida é um conjunto de possibilidades que se apresentam para ser experimentadas, facultando o crescimento intelecto-moral dos seres. A forma como cada pessoa se utiliza desses recursos redunda no êxito ou no desar, não sendo a mesma responsável pela glória ou pelo insucesso daqueles que a buscam e nela se encontram envolvidos.

Para o jovem sonhador, que tudo vê róseo, há muitos caminhos a percorrer, que exigem esforço, bom direcionamento de opção e sacrifício. Toda ascensão impõe inevitável cota de dedicação, como é natural, até que a conquista dos altiplanos delineie novos horizontes ainda mais amplos e fascinantes.

Assim, as possibilidades do adolescente estão no investimento que ele aplica para a conquista do que traça como objetivo. Nesse período, tem-se pressa, porque todas as manifestações são rápidas e os acontecimentos obedecem a um organograma que não pode ser antecipado, esperando que se consumem os mecanismos propiciatórios à sua realização.

Ansioso pelos voos que pretende desferir, pensa que as suas aspirações podem ser transformadas em realidade de um para outro momento, e, quando isso não ocorre, deixa-se abater por graves frustrações e desânimo. No entanto, através desse vaivém de alegria e desencanto passa a entender que os fenômenos existenciais independem das suas imposições, provindo de muitos fatores que se conjugam para oferecer resultado correspondente.

Nessa sucessão de contrários, amadurece-lhe a capacidade de compreensão e aprimora-se a faculdade de planejar, auxiliando-o a colocar os *pés no chão* sem a perda do otimismo, que é fator decisivo para o prosseguimento das aspirações e da sua execução contínua.

Em face da constituição da vida, não basta anelar e querer, mas produzir e perseverar. Esse meio de levar adiante os planos acalentados demonstra que há limites em todos os indivíduos, que não podem ser ultrapassados, e que se apresentam na ordem social, moral, econômica, cultural, científica, enfim, em todas as áreas dos painéis existenciais.

Os acontecimentos são conforme ocorrem e não consoante se gostaria que sucedessem, isto é, *nadar contra a correnteza* pode exaurir o candidato que vai atirado à praia, aonde chega após grandes conquistas e ali *morre* sem alcançar a vitória.

A sabedoria, que decorre das contínuas lutas, demonstra que se deve realizar o que é possível, aguardando o momento oportuno para novos cometimentos. Especificamente, cada dever tem o seu lugar e não é lícito assumir diversos labores que não podem ser executados de uma só vez.

A própria organização física constitui limite para todos os indivíduos. Quando se exige do organismo além das suas possibilidades, os efeitos são negativos, portanto, desanimadores. Daí, o limite se encontra na capacidade das resistências física, moral e mental, que constituem os elementos básicos do ser humano, e no enfrentamento com os imperativos da sociedade, da época em que se vive, etc.

Certamente, há homens e mulheres que se transformaram em exceção, havendo pago pesados ônus de sacrifício, graças ao qual abriram à História páginas de incomparável beleza. Simultaneamente, também, houve aqueles que mergulharam no fundo abismo do desencanto, deixando-se dominar por terríveis angústias que lhes estiolaram a alegria de viver e os maceraram, levando-os a estados profundamente perturbadores, porque não possuíam essas energias indispensáveis para as conquistas que planejaram.

Ao moço compete o dever de aprender as lições que lhe chegam, impregnando-se das suas mensagens e abrindo novos espaços para o futuro.

Quando arrebatado pelo entusiasmo, considerar que há tempo para semear como o há para colher; quando deprimido, liberar-se das sombras pelo esforço de ascender às regiões onde brilha a luz da esperança, compreendendo que a marcha começa no primeiro passo, assim como o discurso mais inflamado tem início na primeira palavra. Todas as coisas exigem planificação e tentativa. Aquele que se recusa experimentar, já perdeu parte do empreendimento. Não há por que recear o insucesso. Esse medo da experimentação já é, em si mesmo, uma forma de fracasso. Arriscar-se, no bom sentido do termo, é intensificar os esforços para produzir, mesmo que, aparentemente, tudo esteja contra. Não realizando, não tentando, é claro que as possibilidades são infinitamente menores. Sempre vence aquele que se encontra alerta, que labora, que persiste.

A atitude de esperar que tudo aconteça em favor próprio é comodidade injustificável; e deixar-se abater pelos pensamentos pessimistas, assim como pelas heranças autodepreciativas, significa perder as melhores oportunidades de crescimento interior e exterior, que se encontram na adolescência. Esse é o momento de programar; é o campo de experimentação.

Quando o jovem começa a delinear o futuro não significa que haja logrado a vitória ou perdido a batalha, apenas está traçando rotas que o levarão a um ou a outro resultado, ambos de muito valor na sua aprendizagem, em torno da vida na qual se encontra.

A perseverança e o idealismo sem excesso responderão pelo empreendimento iniciado.

O adolescente não deve temer nunca o porvir, porquanto isso seria limitar as aspirações, nem subestimar as lições do cotidiano, que lhe devem constituir mensagens de advertência, próprias para ensinar-lhe como conseguir os resultados superiores.

Assim, nesse período de formação, de identificação consigo mesmo, a docilidade no trato, a confiança nas realizações, a gentileza na afetividade, o trabalho constante, ao lado do estudo que aprimora os valores e desenvolve a capacidade de entendimento, devem ser o programa normal de vivência. Os prazeres, os jogos apaixonantes do desejo, as buscas intérminas do gozo cedem lugar aos compromissos iluminativos, que desenham a felicidade na alma e materializam-na no comportamento.

Ser jovem não é somente possuir força orgânica, capacidade de sonhar e de produzir, mas, sobretudo, poder discernir o que precisa ser feito, como executá-lo e para que realizá-lo.

A escala de valores pessoais necessita ser muito bem considerada, a fim de que o tempo não seja empregado de forma caótica em projetos de secundária importância, em detrimento de outros labores primaciais, que constituem a primeira meta existencial, da qual decorrerão todas as outras realizações.

São infinitas, portanto, as possibilidades da vida, limitadas pelas circunstâncias, pelo estágio de evolução de cada homem e de cada mulher, que devem, desde adolescentes, programar o roteiro da evolução e seguir com segurança, etapa a etapa, até o momento de sua autorrealização.

7
O ADOLESCENTE, O AMOR E A PAIXÃO

Período de exuberância hormonal, a adolescência se caracteriza pelos impulsos e desmandos da emotividade. Confundem-se as emoções, e todo o ser é um conjunto de sensações desordenadas, num turbilhão de impressões que aturdem o jovem. Irrompem, naturalmente, os desejos da sensualidade, e se confundem os sentimentos, por falta da capacidade de discernir gozo e plenitude, êxtase sexual e harmonia interior.

É nessa fase que se apresentam as paixões avassaladoras e irresponsáveis que desajustam e alucinam, gerando problemas psicológicos e sociais muito graves, quando não são controladas e orientadas no sentido da superação dos desejos carnais.

Subitamente o jovem descobre interesses novos em relação a outro, àquele com quem convive e nunca antes experimentara nada de original, que se diferenciasse da fraternidade, da amizade sem compromisso. A libido se lhe impõe e propele-o a relacionamentos apressados quão ardorosos, que logo se esfumam. Quando não atendida, por circunstâncias violentas, dá surgimento a estados depressivos, que podem perturbar profundamente o adolescente, que passa a cultivar o pessimismo e a angústia, derrapando em desajustes psicológicos de curso demorado.

O ideal, nesse momento, é a canalização dessa força criadora para as experiências da arte, do trabalho, do estudo, da pesquisa, que a transformam em energia superior potencializada pela beleza e pelo equilíbrio. Nesse sentido, deve-se recorrer aos desportos, à ginástica, às caminhadas e atividades ecológicas que, além de úteis à comunidade, também *gastam* o excesso hormonal, tanto físico quanto psíquico.

As licenças morais da atualidade e os veículos de comunicação pervertidos contribuem para um amadurecimento precoce, indevido, e a irrupção da libido, em razão das provocações audiovisuais, das conversações insanas, que têm sempre por base o sexo em detrimento da sexualidade, do conjunto de valores que se expressam na personalidade, leva os jovens imaturos a relacionamentos inoportunos, por curiosidade ou precipitação, impondo-lhes falsas necessidades, que passam a atormentá-los, seviciando-os emocionalmente, ou empurrando-os para os mecanismos exaustivos da autossatisfação, com desajustes da função sexual em si mesma agredida e mentalmente mal direcionada.

O amor, na adolescência, é um sentimento de posse, que se apresenta como necessidade de submeter o outro à sua vontade, para que sejam atendidos os caprichos da mais variada ordem. Por imaturidade emocional, nessa fase, não se tem condições de experimentar as delícias do respeito aos direitos do outro a quem se diz amar, antes impondo sua forma de ser; não há capacidade para renunciar em favor daquele a quem se direciona o afeto, mas se deseja receber sempre sem a preocupação da retribuição inevitável, que é o sustentáculo basilar do amor.

O amor real é expressão de maturidade, de firmeza de caráter, de coerência, de consciência de responsabilidade, que trabalham em favor dos envolvidos no sentimento que energiza, enriquecendo de aspirações pelo bom, pelo belo, pela felicidade. Envolve-se em ternura e não agride, sempre disposto a ceder, desde que do ato resulte o bem-estar para o ser amado. Rareia, como é natural, no período juvenil, que o tempo somente consolida mediante as experiências dos relacionamentos bem-sucedidos.

Há jovens capazes de amar em profundidade, sem dúvida, por serem Espíritos experientes nas lutas evolutivas, encontrando-se em corpos novos, em desenvolvimento, porém investidos da capacidade vigorosa de sentir e entender.

Celebrizaram-se, na História, os amores lendários de Romeu e Julieta, terminando em tragédia, em razão da imaturidade dos enamorados. Enquanto eles se entregaram ao autocídio inditoso, surgem as imagens alcandoradas da ternura de Dante e Beatriz, de Abelardo e Heloísa, amadurecidos pela própria vida e dispostos à renúncia, desde que redundando em felicidade do outro.

O amor produz encantamento e adorna a alma de beleza, vitalizando o corpo de hormônios específicos, porém oferecendo capacidade de sacrifícios inimagináveis.

Maria de Madalena, jovem pervertida e enferma da alma, encontra Jesus e O ama, tocada nos sentimentos nobres que estavam asfixiados pela lama das paixões servis, levantando-se para a dignificação pessoal.

Saulo de Tarso, ainda jovem, perseguidor inclemente dos *homens do caminho*, encontra Jesus e enternece-se, deixando-se dominar pela Sua presença e dá-se-Lhe até o holocausto.

Mais de um milhão de vidas, que foram tocadas pelo Seu amor, facultaram-se banir, ultrajar, morrer, sem qualquer reação, confiantes na compensação afetiva que deflui do amor, e que experimentavam.

Não somente o amor na sua feição espiritual, mas também o maternal, o fraternal, o sexual, quando não tem por meta somente o relacionamento célere, mas sim a convivência agradável e vitalizadora que se converte em razão da própria vida.

A paixão é como labareda que arde, devora e consome-se a si mesma pela falta de combustível. O amor é a doce presença da alegria, que envolve as criaturas em harmonias luarizantes e duradouras. Enquanto uma termina sem deixar saudades, o outro prossegue sem abrir lacunas, mesmo quando as circunstâncias não facultam a presença física. A primeira é arrebatadora e breve; o segundo é confortador e permanente.

Desse modo, explodem muitas paixões na adolescência, e poucas vezes nasce o amor que irá definir os rumos afetivos do jovem.

É nesse período que muitos compromissos se firmam, sem estrutura para prosseguimento, para os desafios, para o futuro, quando as aspirações modificam-se por imperativo da própria idade e os quadros de valores apresentam-se alterados. Tais uniões, nessa fase de paixões, tendem ao fracasso, se por acaso não forem assentadas em bases de segurança bem equilibradas. Passado o fogo dos desejos, termina a união, *acaba o amor*, que afinal jamais existiu...

É indispensável que, no período juvenil, todos se permitam orientar pela experiência e maturidade dos pais e mestres, a fim de transitar com segurança, não assumindo compromissos para os quais ainda não possui resistência psicológica, moral, existencial.

Cabe, portanto, ao adolescente a submissão dinâmica, isto é, a aceitação consciente das diretrizes e roteiros que lhe são apresentados pelos genitores, no lar, pelos educadores, na escola, a fim de seguirem sem deixar marcas na retaguarda.

A disciplina sexual, nessa ocasião, contribui muito para equilibrar as emoções e dinamizar as experiências físicas, dando resistência para enfrentar os apelos das paixões traumatizantes que surgem com frequência no curso da vida.

A paixão, na adolescência, quando cultivada no silêncio da timidez, transforma-se em verdugo caprichoso que dilacera por dentro, conduzindo a sua vítima a estados patológicos muito graves, dos quais podem nascer manifestações psicóticas portadoras de tendências criminosas e perversas.

Realizar a catarse das paixões, comunicando-se com todos e vivendo fraternalmente, em clima de legítima amizade, abre campo para as manifestações da afetividade sadia, que se converte em amor, à medida que transcorre o tempo e a pessoa adquire compreensão e discernimento a respeito dos objetivos essenciais da sua reencarnação.

8
O ADOLESCENTE E O NAMORO

Na fase da adolescência, a atração sexual é portadora de alta carga de magnetismo. Surge, inesperadamente, a necessidade de intercâmbio afetivo, que o jovem ainda não sabe definir. Os interesses infantis são superados, e as aspirações, acalentadas até então desaparecem, a fim de cederem lugar a outras motivações, normalmente através do relacionamento interpessoal. Os hormônios, amadurecendo e produzindo as alterações orgânicas, também trabalham no psiquismo, desenvolvendo aptidões e anseios que antes não existiam.

Nesse momento, os adolescentes olham-se surpresos, observam as modificações externas e descobrem anseios a que não estavam acostumados. São tomados de constrangimento numa primeira fase, depois, de inquietação, por fim, de certa audácia, iniciando-se as experiências dos namoros.

Referimo-nos ao processo natural, sem as precipitações propostas pelas insinuações, provocações e licenças morais de toda ordem que assolam o mundo juvenil, conspirando contra a sua realização interior.

Estimulados por essa falsa liberdade, mentalmente alertados antes de experimentarem as legítimas expressões do sentimento, atiram-se na desabalada busca do sexo, sem qualquer compromisso com a emoção, transtornando-se e perdendo a linha do desenvolvimento normal, passo a passo, corpo e mente.

Prematuramente amadurecidos, perdem o controle da responsabilidade e passam a agir como autômatos, vendo, no parceiro, apenas um objeto de uso momentâneo, que deve ser abandonado após o conúbio, a fim de partir na busca de nova companhia, para atender a sede de variação promíscua e alienadora.

O namoro é uma necessidade psicológica, parte importante do desenvolvimento da personalidade e da aprendizagem afetiva dos jovens, porquanto na amizade pura e simples são identificados valores e descobertos interesses mais profundos, que irão cimentar a segurança psicológica quando no enfrentamento das responsabilidades futuras.

Trata-se de um período de aproximação pessoal, de intercâmbio emocional através de diálogos ricos de idealismos, de promessas – que nem sempre se cumprem, mas que fazem parte do jogo afetivo – e sonhos, quando a beleza juvenil se inspira e produz.

As artes, em geral, a literatura, a poesia, a estética descobriram na afetividade juvenil suas verdadeiras musas, que passaram a contribuir em favor do enriquecimento da vida, através das lentes róseas dos enamorados. Todo um mundo dourado e azul, trabalhado nas estrelas e no luar, no perfume das flores e nos favônios dos entardeceres, aparece quando os jovens encontram-se e despertam intimamente para a afetividade.

O recato, a ternura, a esperança, o carinho e o encantamento constituem as marcas essenciais desses encontros abençoados pela vida. As dificuldades parecem destituídas de significado e os problemas são teoricamente de solução muito fácil, convidando à luta com que se estruturam para os investimentos mais pesados do futuro.

O desconhecimento do corpo e a inexperiência da sua utilização, nesse período, cedem lugar a um descobrimento digno, compensador, que predispõe aos relacionamentos tranquilos, estimulantes.

Igualmente nesse curso do namoro identificam-se as diferenças de interesse, de comportamento psicológico, de atração sexual e moral, cultural e afetiva.

O adolescente, às vezes, encantador, que desperta sensualidade nos outros, no convívio pode apresentar-se frívolo, vazio de idealismo, desprovido de beleza, que são requisitos de sustentação dos relacionamentos, e logo desaparece a atração, que não passava de estímulo sexual sem maior significado.

Quando o namoro derrapa em relacionamento do sexo, por curiosidade e precipitação, sem a necessária maturidade psicológica nem a conveniente preparação emocional, produz frustração, assinalando o ato com futuras coarctações, que passam a criar conflitos e produzir fugas, gerando no mundo mental dos parceiros receios injustificáveis ou ressentimentos prejudiciais.

Não raro, esses *choques* levam a práticas indevidas e preferências mórbidas, que se transformam em patologias inquietantes na área do comportamento sexual.

É natural que assim suceda, porque o sexo é departamento divino da organização física, a serviço da vida e da renovação emocional da criatura, não podendo ser usado indiscriminadamente por capricho ou por mecanismos de afirmação da polaridade biológica de cada qual.

O indivíduo tem necessidade de exercer a função sexual, como a tem de alimentar-se para viver. Não obstante essa função, porque reprodutora, traz antecedentes profundos fixados nos painéis do Espírito, arquivados no inconsciente, que não interpretados corretamente encarregam-se de levá-lo a transtornos psicóticos significativos.

O período do namoro, portanto, é preparatório, a fim de predispor os adolescentes ao conhecimento das suas funções orgânicas, que podem ser bem direcionadas e administradas sem vilania, mantendo o alto padrão de consciência em relação ao seu uso.

As carícias se encarregam de entretecer compensações afetivas e preencher lacunas do sentimento, traduzindo a necessidade do companheirismo, da conversação, da troca de opiniões, do intercâmbio de aspirações.

O mundo começa também a ser descoberto e programas são delineados, nesse comenos afetuoso, tendo em vista a possibilidade de estar próximo do ser querido e com ele compartir dores e repartir alegrias.

As dificuldades e conflitos íntimos, em face da aproximação afetiva, são debatidos e buscam-se fórmulas para superá-los e resolvê-los.

Um auxilia o outro e *abrem-se os corações*, pedindo auxílio recíproco.

Quando isso não ocorre, há todo um jogo de mentiras e aparências que não correspondem à realidade, e cada um dos parceiros pretende demonstrar experiências que não consolidou, e que se encontram na imaginação, como decorrência de informações incorretas ou de usos inadequados, que exalta, tornando-se agressivo e primário, sem a preocupação de causar ou não trauma no parceiro.

Merece considerar também que, nessa fase, o jovem desperta para as suas faculdades paranormais, suas inseguranças e ansiedades estão em desordem, propiciando, pela natural Lei de Causa e Efeito, a aproximação de antigos comparsas, que procedem de reencarnações passadas e agora se acercam para dar prosseguimento a infelizes obsessões, particularmente na área sexual.

Grande número de adversários espirituais é constituído de afetos abandonados, traídos, magoados, infelicitados, que não souberam superar o drama e retornam esfaimados de paixões negativas, buscando aqueles que lhes causaram danos, a fim de se desforçarem, investindo, desse modo, furiosos e cruéis, contra quem lhes teria prejudicado.

Esse é um capítulo muito delicado, que não pode ser deixado à margem, merecendo análise especial.

Assim, o namoro preenche a lacuna da imaturidade e propicia renovação psicológica e conforto físico, sem ardência de paixão, nem frustração amorosa antes do tempo.

9

O QUE O ADOLESCENTE ESPERA DA SOCIEDADE E O QUE A SOCIEDADE ESPERA DO ADOLESCENTE

O adolescente é um ser novo, utilizando-se do laboratório fisiopsíquico em diferente expressão daquela a que se acostumara.

Algumas das suas glândulas de secreção endócrina, como a pituitária, inicialmente, encarregam-se de secretar hormônios que caracterizam as graves e profundas alterações na sua organização física, a fim de que, nos homens, os testículos possam fabricar testosterona, encarregada das definições sexuais masculinas. Nas meninas, os ovários dão início ao labor de produzir e eliminar estrógeno, que depois se torna cíclico, assinalando as formas da puberdade e logo se transformando em ciclo menstrual. Os meninos igualmente experimentam uma produção de estrógeno, que provém das glândulas suprarrenais, e contribuem para o desenvolvimento dos pelos pubianos e demais alterações externas do conjunto genital, que se unem para anunciar a chegada da puberdade.

Os hormônios do crescimento, secretados pela tireoide e pela pituitária no período da puberdade, passam por significativa transformação e respondem pelo alongamento e peso do corpo – também denominado *estirão do crescimento*, que dura em média quatro anos – e definem sua nova estrutura e forma.

Esse período turbilhonado no jovem leva-o a verdadeiras crises existenciais de identidade, de contestação de valores, decorrentes das mudanças físicas, sexuais, psicológicas e cognitivas ao mesmo tempo.

Em razão da imaturidade, o adolescente espera compreensão e auxílio da sociedade, que lhe deve facultar campo para todos os conflitos, não os refreando nem corrigindo, de forma que o mundo se lhe torne favorável área para as suas experimentações, nem sempre corretas, dando surgimento a novos conceitos e novas propostas de vida.

Essa aspiração é justa, no entanto, o ônus é muito alto quando os resultados se apresentam funestos ou danosos, o que normalmente ocorre, tendo-se em vista que a inadequação do jovem ao existente impede-o de entender o que sucede, não possuindo recursos para solucionar os desafios que surgem e a todos aguardam.

Em se tratando de Espírito amadurecido por outras vivências, o adolescente compreende que a sociedade cumpre com deveres estabelecidos em programas vitais para o equilíbrio geral, não podendo alterá-los a bel-prazer, a fim de atender às variadas exigências das mudanças constantes que têm lugar no comportamento dos seus membros. Esses códigos, quando agredidos, produzem reações que geram desconforto e maior soma de conflitos, facilmente evitáveis, se ocorre um engajamento que lhes modifique as estruturas, favorecendo com novos programas de aplicação exequível. Em caso contrário, essa transformação se opera mediante violências que desorganizam os grupos sociais e os reconstroem sobre os escombros, assinalando a nova mentalidade com os inevitáveis traumas decorrentes dos métodos aplicados para sanear o que era considerado ultrapassado e sem sentido.

Graças ao avanço do conhecimento e às conquistas tecnológicas, o período de adolescência tem sido antecipado, particularmente nas meninas, o que ocorre em razão da precocidade mental e da contribuição dos veículos de comunicação de massa, propondo-lhes uma variedade constante de projetos e *necessidades*, que se decepcionam com a sociedade, que não está preparada para aceitar as imposições conflitivas do seu período de transição.

Nesse esfervilhar de emoções e de sensações desconhecidas, o adolescente pretende que a sociedade compartilhe das suas experiências e deixe-o à vontade para atender a todos os impulsos, e, quando isso não ocorre, apresentam-se os choques de geração e as agressões de parte a parte.

Passada a turbulência orgânica, equilibrando-se os hormônios, o indivíduo passa a reconsiderar os acontecimentos juvenis e faz uma nova leitura dos seus atos, reprogramando-se, a fim de acompanhar o processo cultural e social no qual se encontra situado.

O adolescente sempre espera da sociedade a oportunidade de desfrutar dos prazeres em indefinição nele mesmo. Estando em crise de identidade, não sabe realmente o que deseja, podendo mudar de um para outro momento e isto não pode ser seguido pelo grupo social, que teria o dever de abandonar os comportamentos aceitos a fim de incorporar insustentáveis condutas, que logo cedem lugar a novas experiências.

Irreflexão, angústia, descontrole nas atitudes são naturais no adolescente, que irá definindo rumos até encontrar um método de adaptação dos seus sentimentos aos padrões vigentes e aceitos, ajustando-se, por fim, ao contexto que antes combatia.

A chegada da maturidade e da razão oferece diferente visão da sociedade, todavia os atos praticados já produziram os seus efeitos e, se foram agressivos, os danos aguardam remoção, ou pelo menos necessária reparação.

Por sua vez, a sociedade espera que o adolescente submeta-se aos seus quadros de comportamento estabelecido, muitas vezes necessitados de renovação, de mudança, em face dos imperativos da Lei do Progresso.

O adulto, representando o contexto social, acredita que, oferecendo ao adolescente os recursos para uma existência equilibrada, educação, trabalho, religião, esportes etc., ter-se-á desincumbido totalmente do compromisso, não se devendo preocupar com mais nada e aguardando a resposta do entendimento juvenil mediante apoio irrestrito, cooperação constante, continuidade dos seus empreendimentos.

Seria tediosa a vida social, e retrógrada, se fosse continuada sem as inevitáveis mudanças impostas pelo progresso e trabalhadas pelas gerações novas, às vezes inspiradas pelo pensamento filosófico ou científico, pelo idealismo da beleza e da arte, da religião e da tecnologia, que encontram nos jovens a sua força motriz.

Todos os grandes empreendimentos e movimentos da História, surgidos nas almas luminosas dos eminentes missionários, repercutiram na juventude e obtiveram a resposta em forma de desafio para a sua implantação, do que decorreram as admiráveis transformações sociais e humanas que se impuseram na sucessão dos tempos.

É inevitável, portanto, que o *conflito de gerações*, que é resultado da imposição caprichosa de parte a parte, seja resolvido pelo intercâmbio de ideias e compreensão de necessidades reais do grupo social e do adolescente, estabelecendo-se pontes de entendimento e cooperação, para que os dois extremos se acerquem do objetivo, que é o auxílio recíproco.

A sociedade, na condição de bloco de identificação de valores, espera que o adolescente venha partilhar das suas definições sem as testar, sem experimentar a sua fragilidade e resistências, o que seria uma acomodação, senão também uma forma de submissão passiva, inviável para o ser em formação. A própria identidade do adolescente, que está buscando rumos, reage contra tudo que se encontra feito, terminado, e não passou pelo seu crivo, não experimentou a sua participação.

O adulto de hoje esquece-se do seu superado período de adolescência – se é que já ocorreu –, quando também anelou muito e não conseguiu tudo quanto gostaria de realizar, foi aguardado e não correspondeu à expectativa dos seus ancestrais.

Não obstante, isto não implica aceitar toda imposição descabida ou qualquer indiferença mórbida pelo processo social.

Somente uma aproximação natural do adolescente, com o grupo social em tranquila integração, resolve o questionamento que não se justifica, lima as arestas das dificuldades existentes, trabalha as diferenças de comportamento e, juntos, avançam em favor de um futuro melhor, em que todos estarão presentes construindo o bem.

10
A VIOLÊNCIA NO CORPO E NA MENTE DO ADOLESCENTE

A adolescência sempre foi considerada um período difícil no desenvolvimento do ser humano, com mais desafios do que na infância, criando embaraços para o próprio jovem como para os seus pais e todos aqueles que com ele convivem.

Trezentos anos antes de Cristo, Aristóteles escrevera que os adolescentes *são impetuosos, irascíveis e tendem a se deixar levar por seus impulsos*, demonstrando certa irritabilidade em relação ao comportamento juvenil. Por sua vez, Platão desaconselhava o uso de bebidas alcoólicas pelos jovens antes dos dezoito anos, em razão da rápida excitabilidade deles, e propunha: *Não despejar fogo sobre fogo.*

Os conceitos sobre a adolescência sempre ganharam aceitação, particularmente quando de natureza censória, intolerante.

No século XVII, em sermão fúnebre, um clérigo afirmava que a juventude era como *um navio novo lançado ao oceano sem um leme, lastro, ou piloto para dirigi-lo*, como resultado de uma observação externa, sem aprofundamento, de modo que se pudessem compreender as significativas transformações que se operam no ser em formação, compelindo-o para as atitudes anticonvencionais, período assinalado por mudanças estruturais.

Essas mudanças, que se operam na forma física, repercutem significativamente na conduta psicológica, propondo diferentes relacionamentos com os companheiros, experimentando novos modelos educacionais, vivenciais, enquanto todo ele se encontra em maturação biológica apressada, sem precedentes na sua história orgânica.

Nesse período, compreensivelmente, surgem os conflitos de identidade, em tentativas internas de descobrir quem é e o que veio fazer aqui na Terra. Logo depois, surgem-lhe as indagações de como conduzir-se e qual a melhor maneira de aproveitar o período promissor, sem o comprometimento do futuro.

Esse estado de mudanças pode ser breve, nas sociedades mais simples, mais primitivas, ou prolongado, nas tecnologicamente mais desenvolvidas, podendo dar-se de maneira abrupta, ou através de uma gradual transição das experiências antes vivenciadas para as atuais desafiadoras. Em todas as culturas, porém, apresenta-se com um caráter geral de identidade: alterações físicas e funcionais da puberdade, assinalando-lhe o início inevitável.

Os hormônios, que desempenham um fundamental papel na transformação orgânica e na constituição dos elementos secundários do sexo, igualmente interferem na conduta psicológica, fazendo ressuscitar problemas que se encontravam adormecidos no inconsciente profundo, na memória do Espírito reencarnado. Isto porque, a reencarnação é oportunidade de refazimento e de adestramento para desafios sempre maiores em relação ao si, na conquista da imortalidade. Na adolescência, em razão das transformações variadas, antigos vícios e virtudes ressumam como tendências e manifestam-se, exigindo orientação e comando, a fim de serem evitados novos e mais graves cometimentos morais perturbadores.

Localizada na base do cérebro, a hipófise tem importância especial na proposta do desenvolvimento da puberdade. Os seus hormônios permanecem inibidos até o momento em que sucede um *amadurecimento* das células do hipotálamo, que lhe enviam sinais específicos, a fim de que os libere. Tal fenômeno ocorre em diferentes idades, nunca sendo no mesmo período em todos os organismos.

Esses hormônios são portadores de uma carga muito forte de estímulos sobre as demais glândulas endócrinas, particularmente a tireoide, a adrenal, os testículos e os ovários, que passam a produzir e ativar as suas próprias substâncias, responsáveis pelo crescimento e pelo sexo. Surgem, então, os androgênios, os estrogênios e as progestinas, estas últimas responsáveis pela gravidez. No metabolismo geral, todos eles interagem de forma que propiciem o desenvolvimento físico e fisiológico simultâneos.

Nesse período de transformações orgânicas acentuadas, o adolescente, não poucas vezes, sente-se estranho a si mesmo. As alterações experimentadas são tão marcantes que ele perde o contato com a sua própria realidade, partindo então para o descobrimento de sua identidade de forma estranha, inquieta, gerando distúrbios que se podem acentuar mais, caso não encontre orientação adequada e imediata.

Em razão da dificuldade de identificação do si, o jovem tem necessidade de ajustar-se à imagem do seu corpo, detendo-se nos aspectos físicos, sem uma percepção correta da realidade, o que o conduz a conclusões equivocadas, a respeito de ser amado ou não, atraente ou repulsivo, por falta de uma capacidade real para a avaliação.

Nas meninas, o ciclo menstrual surge de uma forma desafiadora e quase sempre causa surpresa, reação prejudicial, quando não estão preparadas, por ignorarem que se trata de um ajustamento fisiológico, ao mesmo tempo *símbolo de maturidade sexual.*

A desorientação pode deixar sinais negativos no seu comportamento, particularmente sensações físicas dolorosas, rejeição e irritabilidade, na área psicológica, após a menarca. Outras sequelas podem ocorrer na pré ou na pós-menstruação, exigindo terapia própria.

Os rapazes, por sua vez, se não esclarecidos, podem ser surpreendidos com os fenômenos sexuais espontâneos, como a ereção incontrolada e as ejaculações desconhecidas. Nessa fase, eles vivem um espaço no qual tudo pode tomar características de manifestação sexual: odor, som, linguagem, lembrança... Não sabendo ainda como administrar essas manifestações espontâneas do organismo, embaraçam-se e descontrolam-se com relativa facilidade.

Certamente, os jovens da atualidade encontram-se muito mais informados do que os outros das gerações passadas, não obstante esses conhecimentos estejam muito distorcidos na mente juvenil, o que perturba aqueles de formação tímida ou portadores de qualquer distúrbio ainda não definido.

A questão da maturação sexual nos jovens não tem período demarcado, podendo ser precoce ou tardia, que resulta em estados de apreensão ou desequilíbrio, insegurança ou audácia, a depender da personalidade, no caso, do Espírito reencarnado com o patrimônio dos méritos e dívidas.

O amadurecimento psicológico faz-se, nessa ocasião, com maior rapidez do que na infância. Há mudanças cognitivas muito fortes, que desempenham um papel crítico para o jovem cuidar das demandas educacionais, sociais, vocacionais, políticas, econômicas, sempre cada dia mais complexas.

As alterações nos relacionamentos entre pais e filhos propõem necessidade de maior intercâmbio no lar, a fim de proporcionar um desenvolvimento psicológico saudável, quanto intelectual, equilibrado.

Outra questão muito significativa do momento da adolescência é o conflito entre o real e o possível, vivenciado pelo jovem em transição. Ao constatar que o real deixa-lhe muito a desejar, porque se encontra num período de enriquecimento psíquico, torna-se rebelde e transtorna-se, o que não deixa de ser uma característica transitória do seu comportamento.

A harmonia que se deve estabelecer entre o físico e o psíquico, libertando o adolescente da violência existente no seu mundo interior, será conseguida a esforço de trabalho, de orientação, de vivências morais e espirituais, o que demanda tempo e amadurecimento, compreensão e ajuda dos adultos, sem imposições absurdas, geradoras de outras agressões.

11
A VIDA SOCIAL DO ADOLESCENTE

No período da adolescência, a vida social gira em torno dos fenômenos de transformação que afetam o comportamento juvenil.

Assim, a preferência do jovem é por outro da mesma faixa etária, os seus jogos são pertinentes às ocorrências que lhe estão sucedendo no dia a dia. Há uma abrupta mudança de interesses, e, portanto, de companhias, que se tornam imperiosas para a formação e definição da sua personalidade. Não mais ele se compraz nos encantamentos anteriores, nas coleções infantis que lhe eram agradáveis, tampouco nas aspirações que antes o mantinham preso ao lar, ao estudo ou aos esportes até então preferidos.

É certo que existem grandes exceções, porém, o normal é a alteração de conduta social, em face da necessidade de afirmação da masculinidade ou feminilidade, do descobrimento das ocorrências que o afetam e de como orientar o rumo das aspirações que agora lhe povoam o pensamento.

A sua socialização depende, de alguma forma, de relativa independência dos pais, de ajustamento à maturação sexual e dos relacionamentos cooperativos com os novos amigos que atravessam o mesmo estágio.

Para conseguir esse desafio, o jovem tem necessidade de programar e desenvolver uma forma de filosofia de vida, que o levará à descoberta da própria identidade. Para esse desenvolvimento ele necessita saber quem é e o que deve fazer, de modo que se possa empenhar na realização do novo projeto existencial.

Os pais, por sua vez, não devem impedir esse processo de libertação parcial, contribuindo mesmo para que o jovem encontre aquilo a que aspira, porém de forma indireta, através de diálogos tranquilos e amigos, sem a superioridade habitual característica da idade, facultando mais ampla visão em torno do que pode ser melhor para o desenvolvimento do filho, que deve caminhar independente, libertando-se do *cordão umbilical* restritivo.

Esse fenômeno é inevitável e qualquer tentativa de restrição resulta em desastre no relacionamento, o que é bastante inconveniente.

Os pais devem compreender que a sua atitude agora é de companheirismo, cuja experiência deve ser posta a serviço do educando de forma gentil e atualizada, porque cada tempo tem as suas próprias exigências, não sendo compatível com o fenômeno do progresso o paralelismo entre o passado e o presente, desde que são muito diferentes as imposições existenciais de cada época.

O desenvolvimento social do jovem é de relevante significado para toda a sua vida, porquanto, aqueles que não conseguem o empreendimento derrapam no uso do álcool, das drogas, na delinquência, como fuga da sua realidade conflitiva. Um grande número de adolescentes, no entanto, que tem dificuldade dessa realização, quando bem direcionados, conseguem, embora com esforço, plenificar-se no grupo social. Todos aqueles que ficaram na retaguarda correm o risco de percorrer as trilhas do desequilíbrio, do vício, da criminalidade.

Esse desenvolvimento deve ser acompanhado de uma alta dose de autoconfiança, que começa com a gradual libertação da dependência dos pais, antes encarregados de todas as atitudes e definições, que agora vão sendo direcionadas pelo próprio educando, naturalmente sob a vigilância gentil dos genitores, para que amadureça nas suas aspirações sexuais seguras, na preferência pelos companheiros mais saudáveis e dignos, na identificação do *Eu* profundo, do que quer da vida e como irá conseguir. A vocação começa a aparecer nessa fase, levando o jovem a integrar-se no seu mundo, onde lhe é possível desenvolver ao que aspira sem o constrangimento de atender a uma profissão que foi estabelecida pelos genitores sem que ele tenha qualquer tendência ou afinidade para com a mesma.

A questão da independência do jovem no contexto doméstico, nesse período, não é simples, porque a família dá segurança e compensação, trabalhando, no entanto, embora de forma inconsciente, para que ele perca a oportunidade de definir a personalidade, tornando-se parasita do lar, peso inevitável na economia da sociedade que dele espera esforço e luta para o contínuo crescimento.

Nesse sentido, outra dificuldade consiste na seleção dos amigos, particularmente quando estes se apresentam como modelos pré-fabricados pela mídia: musculosos, exibicionistas, sem aspirações relevantes, sensuais e vazios de significado psicológico, de sentido existencial. Outras vezes, enxameiam aqueles que se impõem pela violência e parecem desfrutar de privilégios conseguidos mediante a prostituição dos valores éticos pelos comportamentos alienados. Ou ainda através da cultura *underground*, promíscua e venal, que se faz exibida por líderes de massas, totalmente destituídos de objetivos reais, assumindo posturas e comportamentos exóticos, que chamam a atenção para esconder a ausência de outros requisitos e que conspiram contra o desenvolvimento da própria sociedade.

São apresentados pela mídia como espécimes estranhos da fauna humana, atormentados e agressivos, produzindo resultados satisfatórios, porque oferecem renda financeira aos promotores dos espetáculos da insensatez... Tornam-se ridículos e perdem o senso do equilíbrio, caricatos e irreverentes, em tristes processos psicopatológicos ou vitimados por estranhas obsessões que os atormentam sem termo...

Os pais sempre desempenharão papel relevante na vida dos filhos, particularmente no momento da sua socialização. Se forem pessoas sociáveis, equilibradas, portadoras de bons relacionamentos humanos, vão se tornar paradigmas de segurança para os filhos que, igualmente acostumados ao sentido de harmonia e de felicidade doméstica, elegerão aquelas que lhes sejam semelhantes e formarão o seu grupo dentro dos mesmos padrões familiares, ressalvados os interesses da idade.

Todo jovem aprecia ser amado pelos pais e desfruta essa afetividade com muito maior intensidade do que demonstra, constituindo-lhe segurança, que passa adiante em forma de relacionamento social agradável. Quando o convívio no lar é caracterizado pelos atritos e discussões sem sentido, a sua visão é de que a sociedade padece da mesma hipertrofia de sentimentos, armando-se de forma a evitar-lhe a interferência nos seus interesses e buscas de realização pessoal. Em consequência, torna-se hostil à socialização, em virtude das lembranças desagradáveis que conserva do grupo familiar, que passa, na sua imaginação, como semelhante ao meio social que irá enfrentar.

O jovem é convidado, por si mesmo, à demanda de transformar-se em um adulto capaz, que enfrente as situações difíceis com equilíbrio, que inspire confiança, que seja portador de uma autoimagem positiva. Mesmo quando se torna independente dos progenitores, preserva a satisfação de saber-se amado e acompanhado à distância, tendo a tranquilidade da certeza que a sua existência não é destituída de sentido humano nem de valor positivo para a sociedade.

Se isso não ocorre, ele faz-se competitivo, desagradável, mesquinho e inseguro, buscando outros equivalentes que passam a agrupar-se em verdadeiras hordas, porque o fenômeno da socialização continua em predominância na sua natureza, somente que, agora, de forma negativa.

A socialização do jovem é um processo de longo curso, que se inicia na infância e deve ser acompanhada com muito interesse e cuidado, a fim de que, na adolescência, esse desenvolvimento não se faça traumático nem desequilibrante.

12

Adolescência, idade crítica? Crise de identidade

Na adolescência, a conquista da identidade é muito relevante e relativamente complexa. Fase de mudanças sob todos os aspectos, ao jovem parece confuso distinguir *qual, quem ou como é o verdadeiro Eu.* Igualmente, diante de tantos papéis a desempenhar na sociedade, é por ele iniciada uma busca na tentativa de encontrar a sua identidade no conjunto, aquela que melhor se ajuste à sua escala de conceitos.

A identidade é o resultado dos valores que facultam a percepção do Eu, separado e diferente de todos os demais, que esteja em equilíbrio e continue integrado, permanecendo, através dos tempos, como o mesmo, podendo ser conhecido pelas demais pessoas e descobrindo como os outros são, o que constitui senso global de caracterização do *ego.*

Quaisquer influências que prejudiquem esta autopercepção geram confusão de identidade, problemas para conseguir a participação, a integração e o prosseguimento da construção da autoimagem.

O conceito de identidade varia de povo para povo, diferindo muito o dos orientais em relação aos ocidentais, em razão das diferentes culturas e heranças históricas. Em todas elas, no entanto, a pessoa deve perceber-se consistente, distinta, e até certo ponto independente das demais.

No período da adolescência, essa busca se torna afligente, porque o jovem se preocupa muito com a aparência, em relação ao que os outros pensam, de certo modo rompendo com o passado e definindo os rumos do futuro. Surgem, então, as identidades individual e grupal ou coletiva. A depender do estado psicológico do adolescente, ele pode destacar-se, surgindo com os seus caracteres próprios, ou *perder-se* no grupo, identificando-se com a maneira massiva de apresentação, normalmente como rebeldia contra o *status*.

Para conseguir a sua identidade individual, pessoal, o jovem depende muito das suas possibilidades cognitivas, que lhe apresentam os recursos de diferenciação dos demais e lhe oferecem as resistências para empreender a tarefa de fixação desses valores num todo harmônico, desenvolvendo os seus comprometimentos pessoais, sexuais, ocupacionais, culturais, etc.

Há, naturalmente, muitos impedimentos para que esse fenômeno aconteça com o êxito que será de desejar. Um deles é a interrupção do processo de construção da identidade, que pode acontecer de forma a definir, prematuramente, a autoimagem, que irá perturbar a caracterização de outros valores e recursos que trabalham pela autodefinição, pela autorrealização. A sua escala de compreensão é deficiente e se estrutura na maneira pela qual os outros o veem, permitindo-se ceder ante pressões, tornando-se assim *pessoa-espelho*, a refletir outras imagens que não o seu próprio Si.

Quase sempre, o jovem que sofre esse tipo de impedimento, encontra nos pais, especialmente no genitor, quando do sexo masculino e, na mãe, quando do sexo feminino, uma identificação muito forte que o impede de ser livre, não sabendo responder adequadamente quando confrontado com deveres desafiadores, atividades exigentes e comportamentos inesperados.

Outros, também confrontados com os problemas e desafios das mudanças que neles se operam, perdem o senso de identidade, não se libertando das vinculações anteriores, não conseguindo encontrar-se, ou desligando-se da família, do grupo social, do país, e sendo vítima de uma adaptação enferma, que se prolonga indefinidamente, sem capacidade para relacionamentos duradouros, para atitudes normais, para as expressões de lealdade e de afeição.

Muitas vezes, esse conflito, essa dificuldade de identificação, pode oferecer maior maturidade ao jovem, no futuro, porque trabalha em favor da sua seleção de valores e de conteúdos, adquirindo maior capacidade criativa, melhor maneira de elaborar ideias e de caracterizar definições, do que os outros que precipitadamente se firmaram em determinados quesitos que elegeram como forma de identidade.

Os jovens, igualmente experimentam dificuldade em estabelecer os padrões que a constituem, e esses variam muito de acordo com os relacionamentos domésticos, os valores religiosos, familiares, sociais, econômicos, culturais e subculturais e mesmo as constantes mudanças sociais, que trabalham conteúdos diferentes.

Alguma confusão, portanto, nesse período, pode redundar saudável para a formação da identidade do adolescente, sem o exagero de um transtorno prolongado.

Outro fator que merece análise é o da identidade sexual. Há jovens que logo definem e aceitam a sua natureza essencial, masculina ou feminina. Nessa oportunidade, surgem os conflitos mais fortes da transexualidade e da homossexualidade, alguns deles como resultado de fatores genéticos, trabalhados pelo Espírito na constituição do corpo através da reencarnação, que se utilizou do perispírito para a modelagem da forma orgânica, outros como efeito da conduta familiar ou social, e, outros mais, ainda, pela necessidade de ser trabalhada a sexualidade como diretriz preponderante para a aquisição de recursos mais elevados e difíceis de ser conquistados.

Quando essa identidade sexual é prematura, o adolescente sofre de um efeito apenas biológico, sem preparação psicológica para o comportamento algo estressante. Quando atrasada, reações igualmente psicológicas podem levar a uma hostilidade ao próprio corpo como ao dos outros.

A identificação sexual do indivíduo equilibrado faz-se definir quando se harmonizam a expressão biológica – anatômica – com a psicológica, expressando-se de forma natural e progressiva, sem os choques da incerteza ou da incapacidade comportamental diante da realidade do fenômeno sexual.

Uma identidade amadurecida faculta-lhe uma boa dose de autoestima, de tolerância em relação às demais pessoas, de afetividade sem prejuízos emocionais, de comportamento sem estereótipo, de lucidez que facilita enfrentar desafios com naturalidade.

Assim, a adolescência é uma idade crítica, no que diz respeito ao processo de adaptação e definição de conceito, de comportamento, de realidade.

Para o adolescente o mundo parece hostil, agressivo, com padrões difíceis de ser alcançados, e que o ameaçam.

Sentindo-se diferente das demais pessoas, luta, interiormente, para reconhecer como agir e quais os recursos de que dispõe, para colocar a serviço da sua realização pessoal. Por outro lado, muitas culturas consideram o jovem como um *rebelde, egoísta, agressivo,* equipando-se de conceitos que exigem do jovem submissão e dependência, dificultando-lhe o acesso a oportunidades de trabalho, de criação, de realização pessoal, porque ainda não está definido, nem possui experiência... Convenha-se que experiência é resultado da habilidade adquirida mediante o desempenho do trabalho, e somente será conseguida se for facultada a oportunidade de realização.

Esse choque entre o *velho* e o *novo* constitui desafio para ambos se afinarem, adaptando-se o jovem ao contexto social, sem abdicação dos seus valores, como também da inútil luta agressiva contra o que depara, porém trabalhando para a mudança dos paradigmas; e ao adulto cabe a aceitação de que a vida é uma constante renovação e ininterrupta mudança, rica de transformação de conceitos que avançam para o sentido ético elevado e libertador, no qual as criaturas se encontrarão felizes e unidas.

13

Influência da mídia no processo de identificação do adolescente

Em um mundo que, a cada instante, apresenta mudanças significativas, o processo de identificação do adolescente faz-se mais desafiador, em razão das diferenças de padrões éticos e comportamentais.

Os modelos convencionais, vigentes, para ele, são passíveis de críticas, em razão do conformismo que predomina, e aqueles que são apresentados trazem muitos conflitos embutidos, que perturbam a visão da realidade, não sendo aceitos de imediato.

Tudo, em torno do jovem, caracteriza-se por meio de formas de inquietação e insegurança.

No lar, as imposições dos pais, nem sempre equilibrados, direcionadas por caprichos e interesses, muitas vezes mesquinhos, empurram o jovem, desestruturado ainda, para o convívio de colegas igualmente imaturos. Em outras circunstâncias, genitores irresponsáveis transferem os deveres da educação a funcionários remunerados, ignorando as necessidades reais dos filhos, e apresentando-se mais como fornecedores de equipamentos e recursos para a existência, do que pessoas afetuosas e interessadas na sua felicidade, dão margem a sentimentos de rancor ou de imediatismo contra a sociedade que eles representam. Ademais, nas famílias conflituosas, por dificuldades financeiras, sociais e morais, ou todas simultaneamente, o adolescente é obrigado a um amadurecimento precipitado, direcionando o seu interesse exclusivamente para a sobrevivência *de qualquer forma*, em considerando a situação de miséria na qual moureja.

Eis aí um caldo de cultura fértil para a proliferação de desequilíbrios, expressando-se nos mais variados conflitos, que podem levar à timidez, ao medo, às fugas terríveis ou à agressividade, ao desrespeito dos padrões éticos que o jovem não compreende, porque não os vivenciou e deles somente conhece as expressões grosseiras, decorrentes das interpretações doentias que lhe são apresentadas.

A soma de aflições que o assalta é grande, aturde-o, trabalhando a sua mente para os estereótipos convencionais de *desgarrados, indiferentes, rebeldes, dependentes,* que encontra em toda parte, e cujo comportamento de alguma forma lhe parece atraente, porque despreocupado e vingativo contra a sociedade que aprende a desconsiderar.

Nesse contubérnio de observações atormentadas, a mídia, desde os primeiros dias da sua infância, vem exercendo sobre ele uma influência marcante e crescente.

De um lado, no período lúdico, ofereceu-lhe numerosos mitos eletrônicos, agressivos e cruéis em nome do mal que investe contra o bem, representados por outros seres de diferentes planetas que pretendem salvar o Universo, utilizando-se, também, da violência e da astúcia, em guerras de extermínio total. Embora a prevalência do ídolo representativo do bem, as imagens alucinantes do ódio, da perversidade e das batalhas intérminas plasmam no inconsciente da criança mensagens de destruição e de rancor, de medo e de insegurança, de fascínio e interesse por essas personagens míticas que, na sua imaginação, adquirem existência real.

Outros modelos da formação da personalidade infantil apresentados pela mídia têm como característica a beleza física, que vem sendo utilizada como recurso de crescimento econômico e profissional, quase sempre sem escrúpulos morais ou dignidade pessoal. O pódio da fama é normalmente por eles logrado a expensas da corrupção moral que viceja em determinados arraiais dos veículos da comunicação de massa. É inevitável que o conceito de dignidade humana e pessoal, de harmonia íntima e de consciência seja totalmente desfigurado, empurrando o jovem para o campeonato da sensualidade e da sexualidade promíscua, em cujo campo pode surgir oportunidade de triunfo... Triunfo da aparência, com tormentos íntimos sem conta.

A grande importância que é dada pela mídia ao crime, em detrimento dos pequenos espaços reservados à honradez, ao culto do dever, do equilíbrio, estimula a mente juvenil à aventura pervertida, erguendo heróis-bandidos, que se celebrizam com a rapidez de um raio, que ganham somas vultosas e atiram-nas fora com a mesma facilidade, excitando a imaginação do adolescente. Ainda nesse capítulo, a supervalorização de determinados ídolos dos esportes, de algumas artes, embora todos sejam dignos de consideração e respeito, proscreve o interesse pelos estudos e pela cultura, pelo trabalho honesto e sua continuidade, deixando a vã perspectiva de que vale a pena investir toda a existência na busca desses mecanismos de promoção que, mesmo alcançados tardiamente, compensam toda uma vida terrena. Esse paradoxo de valores, naturalmente, afeta-lhe o comportamento e a identidade.

É evidente que a mídia também oferece valiosos instrumentos de formação da personalidade, da conquista de recursos saudáveis, de oportunidades iluminativas para a mente e engrandecedoras para o coração.

Lamentável, somente, que os espaços reservados ao lado ético e dignificante do pensamento humano, próprio para a formação da identidade nobre dos adolescentes, sejam demasiado pequenos e nem sempre em forma de propostas atraentes, na televisão, por exemplo, em horários nobres e compatíveis, como um eficiente contributo para a aprendizagem superior.

As emoções fortes sempre deixam marcas no ser humano, e a mídia é, essencialmente, um veículo de emoções, particularmente no seu aspecto televisivo, consoante se informa *que uma imagem vale mais que milhares de palavras*, o que, decerto, é verdade. Por isso mesmo, a sua influência na formação e na estruturação da personalidade, da identidade do jovem é relevante nestes dias de comunicação rápida.

As cenas de violência, associadas às de deboche, às de supervalorização de indivíduos exóticos e condutas reprocháveis, de palavreado chulo e de aparência vulgar ou agressiva, com aplauso para a idiotia em caricatura de ingenuidade, despertam, no adolescente, por *originais* e perversas, um grande interesse, transformando-se em modelos aplaudidos e aceitos, que logo se tornam copiados.

É até mesmo desculpável que, na área dos divertimentos, apresentem-se esses biótipos estranhos e alienados, mas sem que sejam levados à humilhação, ao ridículo... O desconcertante é que enxameiam por todos os lados e alguns deles se tornam líderes de auditórios, vendendo incontável número de cópias das suas gravações e cerrando os espaços que poderiam ser ocupados por outros valores morais e culturais, que ficam à margem, sem oportunidade.

Falta originalidade nos modelos de comunicação, que se vêm repetindo há décadas, assinalados pelos mesmos conteúdos de vulgaridade e insensatez, mantendo a cultura em baixo nível de desenvolvimento.

Essa influência perniciosa, que a mídia vem exercendo nos adolescentes, qual ocorre com os adultos e crianças também, estimulando-os para o lado mais agitado e perturbador da existência humana, pode alterar-se para a edificação e o equilíbrio, na medida que a criatura desperte para a construção da sociedade do porvir, cuidando da juventude de todas as épocas, na qual repousam as esperanças em favor da Humanidade mais feliz e mais produtiva.

14
Relacionamentos do adolescente fora do lar

Nestes dias de rápidas mudanças no mundo – sociais, econômicas, psicológicas, morais e culturais –, mesmo os adultos experientes sofrem dificuldades de ambientação. A celeridade dos acontecimentos, as ocorrências imprevistas, as transformações radicais surpreendem a todos, impondo aceitação e adaptação aparentes, sem que ocorra a compreensão do que sucede, facultando a absorção desses fenômenos perturbadores. Em razão disso, cada criatura preocupa-se com a própria realidade, raramente dispondo de espaço mental e emocional para outrem, seja o parceiro, o familiar, o amigo...

Criando um círculo de relacionamento superficial, evita aprofundar os vínculos da afetividade fraternal, porque se encontra assinalada pelo condicionamento do prazer sexual, como se todas as expressões do sentimento devessem converter-se em comportamento dessa natureza.

Os interesses mesquinhos em predominância assustam, e cada qual procura defender-se da agressão desnecessária do outro, da competição cruel e desonesta do seu próximo, que lhe deseja tomar o lugar, utilizando-se de recursos ignóbeis, desde que triunfe...

Justificando-se preservação da identidade, da intimidade, cada indivíduo busca precatar-se dos demais e refugia-se no egoísmo, disfarçando socialmente os seus conflitos e procurando conquistar ou manter o lugar que lhe parece constituir meta, como forma de realização pessoal.

A família, que se deveria apresentar harmônica, por falta de estrutura dos pais, principalmente, que se encontram aturdidos nos próprios conflitos, transforma-se em um campo de choques emocionais, nos quais os filhos tornam-se as vítimas imediatas.

Insegurança, medo, tormento conflitam as mentes em formação, e a falta de amparo afetivo dos genitores atira os jovens na busca de outras experiências e outros padrões que sejam compatíveis com as necessidades que experimentam.

Não encontrando, no lar, a compreensão ou a amizade segura, buscam nos amigos, igualmente instáveis e sem formação ética, o relacionamento, o entendimento, a linguagem para a convivência, poupando-se ao drama da solidão, da apatia, da depressão.

Por outro lado, devido à necessidade da conquista de identificação pessoal, fora dos padrões impostos pela família, assim como da afirmação sexual, desconfiam dos valores adotados no lar, buscando relacionamentos que compatibilizem com as suas aspirações, formando grupos de afinidade ideológica e comportamental.

No lar, às vezes, pais indiferentes aos seus problemas, ou dominadores, que não lhes respeitam as transições fisiológica e psicológica, frustram os seus ideais e os tornam inaptos para uma existência madura, harmônica e responsável.

A afirmação do Si leva o jovem a enfrentar as barreiras domésticas impeditivas, os fatores agressivos e desequilibrantes, apresentando-se como rebelde e violento; através dessa conduta arrebenta os grilhões que lhe parecem aprisionar em casa.

Noutras vezes, uma aparente resignação asfixia a revolta natural que lhe brota no íntimo, vindo a torná-lo melancólico mais tarde, subserviente, receoso, despersonalizado, que para sobreviver na sociedade adapta-se a todas e quaisquer circunstâncias, sem jamais realizar-se.

Tornando-se taciturno, tende a patologias conflitivas de transtorno neurótico como psicótico, graças às frustrações que não sabe *digerir*, interiorizando-se e tomando horror pela sociedade, que lhe representa o grupo social do lar turbulento e instável onde vive.

Os jovens da década dos anos cinquenta foram denominados como *geração silenciosa*, vítimas da Segunda Guerra Mundial, dos distúrbios emocionais e sociais da Guerra Fria e das incertezas proporcionadas pelos muitos conflitos localizados em diferentes países, particularmente no sudeste da Ásia, em um período no qual, aparentemente, o mundo estava em paz... Esses conflitos gerais refletiam-se na insegurança que predominava na sociedade, nos governos, nas instituições, sendo absorvidos pelos jovens que, não sabendo como lidar com a alta carga de emoções desordenadas, silenciaram, buscaram refúgio no mundo íntimo, assumindo postura soturna, sem expectativa de triunfo, sem solução de fácil ou significativa conquista.

Na década seguinte, a de sessenta, em face do desgoverno reinante nos países do denominado *Primeiro Mundo* e das constantes ameaças de destruição que pairavam no ar, em toda parte, surgiu a *geração do desespero*, do consumo de drogas alucinógenas, aditivas, da música ensurdecedora que expressava sua revolta, da pintura agressiva, do sexo desvairado.

A solidão vivida pelos jovens levou-os a formarem *tribos*, a realizarem espetáculos de música desesperada, de promiscuidade comportamental, de agressividade, dando nascimento ao período *hippie*...

A socialização da criatura humana, quando não se dá em alto padrão de equilíbrio, tende a fazer-se perturbadora, sem estrutura ética, tombando no desvario que leva à delinquência, porque o homem e a mulher são intrinsecamente *animais sociais*.

Torna-se urgente a reestruturação da família, que jamais será uma *instituição falida*, porque é a *pedra angular* da sociedade, o primeiro grupo onde o ser experimenta a dádiva do convívio, da segurança emocional, da experiência moral.

É compreensível, portanto, que o adolescente realize a busca de novos relacionamentos fora do lar, sejam eles conflitantes ou não, a depender da tendência dele, das suas aspirações e afinidades, onde experimentará a autorrealização, dando início ao futuro círculo social de amigos no qual se movimentará.

Há, em todas as criaturas, e no jovem especialmente, necessidade de novas experiências, que não tenham lugar na família, e o grupo humano é o grande e oportuno laboratório para as pesquisas e vivências que irão completar-lhe o desenvolvimento e amadurecimento social, moral e emocional.

Não seja, pois, de surpreender, que o adolescente pareça *fugir do lar* para a *rua* na busca de novos relacionamentos.

Quando a família oferece-lhe segurança e compreensão, ele amplia o seu grupo de relações sem rupturas domésticas, adicionando outras pessoas da mesma faixa etária e aspirações idênticas, que conviverão em harmonia e progresso, sem clima de fuga ou de agressividade.

Esse é um passo decisivo para estruturação do caráter, da personalidade e do amadurecimento do adolescente, que se desenvolve para o mundo em constantes mudanças de maneira saudável e equilibrada.

Estimular-lhe o desenvolvimento na criação de grupos de sadio relacionamento social é tarefa que compete aos pais também, em benefício de uma formação equilibrada na área do comportamento dos filhos.

15
O SER E O TER NA ADOLESCÊNCIA

A princípio, no conflito que surge com a adolescência, o jovem não se preocupa, normalmente, com a posse nem com a realização interior, em face dos apelos externos que o convocam à tomada de conhecimento de tudo quanto o cerca.

Vivendo antes em um mundo especial, cujas fronteiras não iam além dos limites do lar e da família, no máximo da escola, rompem-se, agora, as barreiras que o detinham, e surge um campo imenso, ora fascinante, ora assustador, que ele deve conhecer e conquistar, a fim de situar-se no contexto de uma sociedade que se lhe apresenta estranha, caprichosa, assinalada por costumes e atitudes que o surpreendem. Os seus pensamentos primeiros são de submeter tudo a uma nova ordem, na qual ele se sinta realizado e dominador, alçado à categoria de líder reformista, que altere a paisagem vigente e dê-lhe novos contornos. Lentamente, à medida que se vai adaptando aos fatores predominantes, percebe que não é tão fácil operar as mudanças que pretendia impor aos outros, e ajusta-se ao *modus operandi* existente ou contribui para as suas necessárias e oportunas alterações por que passam os diferentes períodos da cultura e do comportamento humano.

Observando que a sociedade contemporânea se baseia muito no poder e no ter, predominando os valores amoedados e as posições de destaque, em uma competitividade cruel e desumana, é tomado pela ânsia de amealhar recursos para triunfar e programar o futuro de ordem material. Não lhe ocorrem as necessidades espirituais, as de natureza ético-moral, porque tudo lhe parece um confronto de oportunidades e de poderes que entram em choque, até que haja predominância do mais forte. Por outro lado, dá-se conta da rapidez com que passa o carro do triunfo e procura fruir ao máximo, imediatamente, toda a cota possível de prazer e de destaque, receando o futuro, em face do exemplo daqueles que ontem estavam no ápice e agora, após o tombo produzido pela realidade, encontram-se esquecidos, perseguidos ou desprezados.

Somente alguns adolescentes, mais amadurecidos psicologicamente, que procedem de lares equilibrados e saudáveis, despertam para a aquisição dos valores íntimos da conquista do conhecimento, dos títulos universitários com os quais esperam abrir as portas da vitória mais tarde. Assim, empenham-se na busca dos tesouros do saber, das experiências evolutivas, das realizações de crescimento íntimo, lutando com denodo em favor do autoaprimoramento e da autoafirmação, no mundo de contrastes e desaires. Nesses jovens, o ser tem um grande significado, porque faz desabrochar os requisitos íntimos que estão dormindo e aguardam ser convocados para aplicação e vivência.

Nesse sentido, não se faz necessário ser superdotado. É mesmo comum encontrar jovens com menos elevado QI, que conseguem, pela perseverança, pelo exercício, a vitória sobre os impedimentos ao seu progresso, enquanto outros mais bem aquinhoados deixam-se vencer pelos desajustes, sem o empenho de superar as dificuldades. Porque reconhecem as facilidades de aprendizagem, menosprezam o esforço que deve acompanhar todo trabalho de aquisição de cultura ou qualquer outro recurso evolutivo, perdendo as excelentes oportunidades que deparam, não vencendo a barreira do desafio para o crescimento. Permanecem com o patrimônio intelectual sem o conveniente desenvolvimento ou, quando o realizam, derrapam para a delinquência, aplicando os tesouros da mente na ação equivocada dos triunfos de mentira.

O esforço para ter surge com as motivações de crescimento intelectual e compreensão das necessidades humanas em favor da sobrevivência, da construção da família, da distinção social, das esperanças de fruir gozos naturais em forma de férias e recreações, de jogos e prazeres, projetando as expectativas para a velhice, que esperam conseguir tranquila e confortável. O ter passa a significar o esforço pelo conseguir, pelo amealhar, reunindo moedas e títulos que facilitem a movimentação pelas diferentes áreas do relacionamento humano. Essa ambição, perfeitamente justa e compreensível, de natureza previdenciária e lógica, pode tornar-se, no entanto, o objetivo único da existência, levando ao desespero e à insatisfação, porque a posse apenas libera de preocupações específicas, mas não harmoniza o ser interiormente. Não poucas vezes, o possuir faz-se acompanhar do medo de perder, gerando receios injustificáveis e neurotizantes. O verdadeiro amadurecimento psicológico do ser propicia-lhe visão otimista da vida, auxiliando-o a ter sem ser possuído, em desfrutar sem escravizar-se, em dispor hoje e buscar amanhã, não lhe constituindo motivo de aflição o receio da perda, da pobreza, porque reconhece que tudo transita, indo e voltando, raramente permanecendo por tempo indeterminado, já que a vida física é igualmente transitória, instável.

A verdadeira sabedoria ensina que se pode ter, sem deixar de lado o esforço por ser autossuficiente, equilibrado, possuidor não possuído, identificado com os objetivos essenciais da experiência carnal, que são a imortalidade, o progresso, o desenvolvimento de si mesmo com vistas à sua libertação da carne, o que ocorrerá, sem qualquer dúvida, e, no momento próprio, ao encontrar-se equipado de recursos para a harmonia. Os padrões do capitalismo sempre impõem ter mais, enquanto que os do comunismo expõem suprir as necessidades básicas sob a regência do Estado, que é sempre impiedoso e sem sentimento, porque tem um caráter empresarial e nunca um sentido de humanidade. O jovem, ainda indeciso nas atitudes a tomar, não se dá conta do significado de ser lúcido e feliz, tendo ou deixando de ter, livre para aspirar ao que melhor lhe apraz e realizar-se interiormente, desfrutando dos bens da vida sem escravidão, sem alucinação.

Quando o indivíduo é mais ele mesmo, identificado com a sua realidade espiritual, consome menos, vive melhor, cresce e amadurece mais, superando os desafios com otimismo e produzindo sempre com os olhos postos no futuro. Para esse cometimento, é necessário que, desde cedo, na adolescência, seja elaborada uma escala de valores, a fim de definir quais os de importância e os secundários, de tal modo que a sua seja uma proposta de vida realizadora e eficiente.

Quando deseja ter mais e se afadiga por conseguir sempre os lucros de todos os empreendimentos, a sua é uma existência frustrada, ansiosa, sem justificativa, porquanto a sede de possuir atormenta-o e deixa-o sempre insatisfeito, porque vê aqueloutros que lhe estão à frente e lhe *fazem sombra* na realização como criatura triunfadora no mundo. Essa ambição igualmente tem início na juventude por falta de direcionamento espiritual e emocional, tornando o adolescente um ser fisiológico, imediatista, e não uma criatura em desenvolvimento para as altas construções da Humanidade.

O jovem que deseja ser desenvolve a sua *inteligência emocional*, aprendendo a identificar os sentimentos das demais pessoas, a dominar os impulsos perturbadores e insensatos, a manter controle sobre as emoções desordenadas, a ter serenidade para enfrentar relacionamentos tumultuados e difíceis, preservando a própria identidade.

Essa *inteligência emocional* depende da constituição do seu cérebro, que se modelou e se equipou de recursos compatíveis com as necessidades de evolução em razão dos seus atos em reencarnações passadas, mas que pode alterar para melhor sempre que o deseje e insista na cultura dos valores ético-morais.

É necessário ter recursos para uma existência digna, porém é indispensável ser sóbrio e equilibrado, nobre e empreendedor, conhecendo-se interiormente e trabalhando-se sempre, a fim de se tornar um adulto sadio e um idoso sábio.

16
AUTORREALIZAÇÃO DO ADOLESCENTE ATRAVÉS DO AMOR

O amor é sempre o alimento essencial da vida. Em todos os períodos da existência física e espiritual da criatura humana, constitui o estímulo e a sustentação dos objetivos enobrecedores, facultando alegria e propondo metas elevadas para serem alcançadas.

Na infância e na adolescência, representa o mais valioso veículo ao desenvolvimento do ser em formação. O seu poderoso elã dá à vida significado e, nesse período inicial da existência planetária, é responsável pelo equilíbrio do desenvolvimento emocional e vital.

Embora se saiba que num corpo jovem encontra-se um Espírito amadurecido ou iniciante nas atividades da evolução, em cada reencarnação o adormecimento das suas potencialidades psíquicas e emocionais faculta-lhe o desabrochar do *deus interno* que nele jaz, bem como dos inesgotáveis recursos que procedem do Criador e devem encontrar campo para desenvolvimento.

Graças ao amor presente ou ausente na infância e na juventude, os futuros cidadãos responderão aos desafios existenciais, tornando-se construtores do bem ou perturbadores da ordem, porquanto o caráter é construído com a afetividade que amadurece, auxiliando a área do discernimento intelectual para o que é certo, deixando à margem o que é incorreto. Essa capacidade de distinguir o que se deve ou não fazer é decorrência natural da capacidade intelecto-moral. A mente apresenta os opostos e os define, mas o sentimento elege aquele ideal que deve ser vivenciado. Portanto, o amor é força dinâmica da vida a serviço do equilíbrio universal, e não terá sido por outra razão que o apóstolo João afirmou que *Deus é amor.*

Quando se ama, adquire-se compreensão da vida e se amadurece, desenvolvendo o sentido de crescimento fraternal e de solidariedade. Quando, porém, se deseja ser amado apenas, então se permanece em infância espiritual, com atraso psicológico na área da emoção, que não discerne os deveres a serem atendidos, exigindo-se direitos aos quais não faz jus.

A experiência, portanto, do amor, é relevante no processo da evolução de todos os seres, especialmente o humano. O amor *aquece* o coração e enriquece a vida, favorecendo com uma visão otimista, que transforma o deserto em jardim e o pântano em pomar.

O adolescente sabe receber o amor, no entanto, pela falta natural de amadurecimento emocional, nem sempre sabe direcioná-lo, mesmo que o sinta, em razão da dificuldade de distinguir o que se trata de sensação, de desejo sexual, de admiração e arrebatamento, do verdadeiro sentimento de afetividade sem exigência, sem agradecimento, sem dependência. Não é uma peculiaridade apenas do jovem, mas de muitas criaturas que avançaram na faixa etária, mas não saíram da infância emocional.

Lentamente, os sentimentos se vão definindo no adolescente e ele passa, através da socialização, a perceber o que lhe agrada aos sentidos e aquilo que lhe embeleza a emoção, dando-lhe firmeza nas decisões, interesse nas definições e eleição nos postulados que abraça, incluindo as pessoas que o cercam, que constituem os grupos nos quais se movimenta.

Há inúmeras motivações para o amor, que atraem o jovem necessitado de compreensão e de paciência, até o momento em que possa definir os rumos e atividades a desenvolver, de forma a fixar as propostas do sentimento no íntimo, sem perturbação nem ansiedade.

Os exemplos de abnegação na família, de desinteresse imediato quando se ama, de dedicação aos valores de enobrecimento, aos esforços pela conquista dos patamares elevados da nobreza e do caráter, constituem emulação para o jovem resolver-se pela faculdade de amar, em vez de hipertrofiar esse sentimento nas baixas aspirações dos desejos infrenes e apaixonados que geram dificuldades e escravidão.

O adolescente tem necessidade de ser aceito pelo grupo de companheiros, falar-lhe o mesmo *idioma*, adotar os mesmos hábitos, participar dos mesmos desportos, empreender as mesmas marchas, partilhar os mesmos valores, as metas idênticas. Esse apelo surge naturalmente e ele é impelido ao meio social quase que por instinto. Se for seguro emocionalmente, terá facilidade de adaptação sem que sofra a influência determinante do conjunto, podendo selecionar aquilo que lhe interessa, deixando de lado o que se lhe apresente como destituído de valor. Se, todavia, sente-se desamado, preterido no lar, prende-se ao novo clã, assumindo uma identidade desconfiada, agressiva e violenta. Noutras vezes, por timidez, pode evitar a socialização e afastar-se, alienando-se.

Quando vitalizado pelo amor da família, tem facilidade de exteriorizar o mesmo sentimento, tornando-se membro ativo e de significação no grupo, em face da empatia que desperta e provoca nos demais. Nessa fase, surge-lhe o que se denomina *estágio operacional formal*, no qual começa a pensar abstratamente, a formular raciocínios em torno do que poderá ser, em vez de apenas estar como se apresenta. Surge também o perigo do egocentrismo, quando o adolescente começa a contestar os valores dos pais, da família, da sociedade, tornando-se crítico contumaz de tudo quanto observa. Amadurecendo, passa para o desenvolvimento cognitivo, que faculta a instalação do amor, que definirá os rumos da sua identidade social e pessoal. O amor ajuda-o a tornar-se independente da família, isto é, a ter sua própria visão do mundo e dos valores humanos, a conceituar pessoas e regimes, estabelecendo as próprias diretrizes de comportamento. Porque não se trata de um ato de rebeldia, mas de crescimento, o amor se lhe desenvolve enriquecedor, permitindo-lhe a descoberta dos objetivos da vida e os meios para alcançá-los, no que se empenha com afã, atendendo aos estímulos que lhe brotam do mundo interior, das tendências que o acompanham desde a reencarnação anterior, impelindo-o para o triunfo sobre as imperfeições que lhe afeiam a conduta, enquanto descobre os altiplanos felizes do bem-estar emocional, social e espiritual.

A carreira elegida passa a adquirir uma significação relevante, não importando se ela é representativa na sociedade ou não, valorizada pela dedicação a que se entrega, por compreender que é membro ativo do conjunto e não pode falhar, porque isso implicaria em desorganização do meio onde vive.

Sentimentos antes não experimentados de ternura e de devoção brotam no adolescente, que se sente atraído para os ideais mais expressivos da Humanidade: política, religião, esportes, ciência, tecnologia, artes... E ao eleger aquele a que se vai dedicar, o faz com ardor e motivação que o engrandecem e o definem como um homem ou uma mulher de bem, candidatos ambos à renovação da sociedade.

A decisão do adolescente pelos propósitos de elevação da sociedade cria no seu grupo de companheiros uma aceitação irrestrita, porque todos preferem aqueles que são alegres, joviais, cordatos, idealistas, que ofereçam alguma contribuição para os demais, o que somente o amor pode proporcionar. As dificuldades no relacionamento infantil e juvenil propõem cidadãos, no futuro, inquietos, delinquentes, com sérios distúrbios no ajustamento sexual e noutras formas de comportamento, como efeito da falta de amor neles mesmos e nos demais que os não atenderem convenientemente no lar, na escola, no clã de origem, em razão do seu temperamento instável e desagradável ou motivo outro qualquer...

O amor, na adolescência, é o grande definidor de rumos para toda a existência e o único tesouro que autoplenifica, autorrealiza, modelando uma vida saudável.

17

O RECONHECIMENTO DO *AMAR AO PRÓXIMO* NA ADOLESCÊNCIA

O despertar do sentimento do amor na adolescência é sempre enriquecedor. Uma poesia nova toma conta da existência e todas as coisas se tornam coloridas, oferecendo impressões dantes não percebidas, que se transformam em fonte de inspiração para as definições de atitudes e prosseguimento daquelas que já se incorporaram ao seu perfil humano e à sua identidade em relação à vida.

A aceitação pelo grupo social emula-o a permanecer desenvolvendo as suas tendências, que são eleitas conforme a capacidade mesma de amar ao próximo e sentir quanto poderá contribuir em favor de melhores dias e mais dignas realizações que lhe estejam ao alcance.

Nesse momento, há o descobrimento da necessidade do inter-relacionamento pessoal, escolhendo melhor os indivíduos com os quais deve conviver e crescer, permitindo-se envolver por aqueles que provocam maior empatia e se lhe tornam modelares pela riqueza de valores morais e culturais de que se fazem portadores.

O sexo experimenta mais saudável orientação, deixando de ser direcionado pelos impulsos do instinto, para ser emulado pelo sentimento da afetividade.

O próximo já não se lhe apresenta como estranho, o ser distante, mas a pessoa mais perto dele, seja pelo sentimento de fraternidade, seja pelo companheirismo, tornando-se membro do seu clã, cuja presença e afetividade compensam-no emocionalmente.

Sob a motivação do amor, os seus planos em relação ao futuro ganham significado e o tecido social não mais se lhe mostra esgarçado conforme ocorria antes.

Afinal, a vida física tem como finalidade precípua contribuir em favor da sociedade modificada para melhor, quando as criaturas adquirem motivações para prosseguir no desempenho das suas atividades, libertando-se dos conflitos externos e das pessoas que geram desequilíbrios, levando as massas de roldão ao desespero.

As experiências desenvolvidas na infância, no que diz respeito à cooperação, resultado das brincadeiras que ampliaram a capacidade de *trocar brinquedos e alimentos*, transformam-se em sentimentos de amor, que crescem em altruísmo e solidariedade. Esse partilhar, esse expressar solidariedade exige a contribuição valiosa e inestimável do sacrifício pessoal, sem correr o risco da competitividade, do conflito, já que proporciona a compensação de descobrir-se útil, portanto, participante do progresso que se torna inevitável.

A autoestima acentua-se no adolescente que descobre ser aceito pelo seu grupo social, particularmente pelos valores íntimos de que se faz portador, pela capacidade de cooperar, de eliminar dificuldades e impulsionar para frente todos aqueles que se lhe acercam. Essa valorização do Si exterioriza-se como forma de autoconhecimento que expande o amor, favorecendo a lídima fraternidade.

Naturalmente surgem momentos difíceis, caracterizados por decisões que não são ideais, mas a experiência do erro demonstra que aquela é a forma menos eficaz para a colheita de resultados felizes, o que ajuda no amadurecimento das realizações.

Sem receio de novas tentativas, permite-se ampliar o círculo de relacionamentos e contribuir de alguma forma em favor das demais pessoas.

Esse tentame socioafetivo começa no lar, onde o adolescente redescobre a família, reaproxima-se dos pais, entendendo-lhes a linguagem e os interesses que mantiveram em oferecer o melhor, nem sempre pelos caminhos mais certos. Aparece um valioso sentimento de afetividade e de tolerância para os *erros da educação,* eliminando mágoas e reservas emocionais que eram mantidas, ao mesmo tempo transformando-se em motivo de contentamento geral.

Da reintegração no conjunto da família se alarga em novas motivações com os colegas e amigos, na escola, no trabalho, no clube de esportes e área de folguedos, porque os seus são sentimentos do amor que plenifica.

É característica desse período não exigir ser amado, mas compensar-se enquanto ama, efetuando uma autorrealização emocional.

A sua filosofia de vida o induz ao espírito de solidariedade mais ampla, cabendo a doação de coisas e até mesmo certa forma de autodoação.

Os grandes ideais da Humanidade encontraram nos jovens o seu campo de desenvolvimento e de liderança, quando inspirados por homens e mulheres de pensamento e de ação, mas que não podiam conduzir as propostas como se faziam necessárias. Nos jovens, esses ideais floresceram e deram frutos sazonados que passaram para a posteridade como fenômenos transformadores e relevantes, que abriram as portas para o progresso e para o surgimento de novas condutas.

Mais recentemente, a *revolução hippie*, como reação às calamitosas guerras e à hipocrisia vitoriana, proporcionou à sociedade uma visão mais correta da realidade, das necessidades juvenis, dos seus direitos, das suas imensas possibilidades de realização e de crescimento.

É certo que houve excessos, alguns dos quais ainda não foram corrigidos. Mas é natural que isso aconteça, porquanto toda grande transformação social gera conflitos e danos nos momentos das mudanças, por causa do exagero dos imprevidentes e precipitados. O tempo, no entanto, encarrega-se de proporcionar soluções compatíveis, que ensejam novos desafios e novas conquistas.

A conquista do amor, pelo adolescente, nele desenvolve o comportamento altruístico, no qual se destacam a empatia, o sentimento de compartilhar a preocupação e o problema do seu próximo, sem que isso propicie conflito. Ao mesmo tempo, desde o período infantil, o surgimento do autocontrole torna-se indispensável para o êxito do amor, a fim de que os excessos na solidariedade não se tornem comprometedores.

É necessário saber preservar-se, de forma que possa continuar com os valores aceitos sem o desgaste das decepções e choques que ocorrem no inter-relacionamento pessoal, particularmente na área da afetividade. A autoestima sabe selecionar o que fazer, como fazer e quando realizá-lo, de forma que o adolescente possa continuar com o entusiasmo que experimenta, quando ama, sem o exagero da paixão sem orientação, ou a frieza da indiferença que resultaria na *morte do amor.*

A autoconscientização que se vem desenvolvendo desde a infância, nesse comenos, torna-se mais importante, propondo a valorização dos atributos morais, espirituais e culturais que devem ser preservados, enquanto os outros que transitam passam a receber a consideração normal, sem o apego que escraviza nem o desprezo que desnorteia.

É evidente que esse processo continuará por toda a vida, já que as etapas da consciência desdobram-se paulatinamente em sentido ascensional e de profundidade, que o *milagre do amor e do conhecimento* consegue estimular para prosseguir.

O grande desafio do amor na vida, quando solucionado, proporciona ao adolescente a paz de que se deixa penetrar, bem como a autorrealização que passa a fazer parte do seu programa de crescimento e de felicidade.

18

O PERDÃO NO PROCESSO DE EVOLUÇÃO DO ADOLESCENTE

Na transição da adolescência, o jovem saudável é muito susceptível de mudança de comportamentos e de atitudes mentais. Raramente as mágoas se lhe fazem profundas, produzindo sulcos perturbadores que se transformam em conflitos para o futuro, porque tudo parece acontecer com rapidez, cedendo, um fato, lugar a outro mais recente, dessa forma, não se fixando muito as impressões negativas, exceto aquelas que se repetem ou que lhe causam choque, estupor ou castração psicológica.

Desse modo, as ocorrências desagradáveis podem ser superadas com relativa facilidade, desde que haja substitutos para elas, diminuindo as impressões de descontentamento e mal-estar.

Formando a personalidade e definindo-se na eleição do que lhe apraz aceitar ou rejeitar, o perdão assume um papel de importância no seu dia a dia abrindo-lhe possibilidades para os relacionamentos felizes. Há, naturalmente, exceções quando se trata de personalidades psicopatas, temperamentos instáveis e vingativos, que acumulam o resíduo do ressentimento em vez de coletar as experiências positivas e substituir aqueloutras que são de natureza desagradável.

O perdão aos erros alheios representa começo de maturidade no jovem, que se revela tolerante, compreensivo, dando aos outros o direito de se equivocar e abrindo espaço para o autoperdão. Mediante essa conduta renova-se, não permanecendo em atitudes depressivas após a constatação do erro, antes se dispondo a seguir em frente, superando a situação infeliz e recuperando-se ao primeiro ensejo. Com essa atitude, a vida adquire um sabor agradável e as ocorrências passam a merecer a consideração produtiva, aquela que soma recursos que podem ser aplicados em favor do bem comum.

É uma forma de superar os melindres e complexos de inferioridade, porque o adolescente dá-se conta de quanto é importante a sua presença no mundo, pelo seu significado existencial, pelo que pode realizar e pelo próprio sentido de sua vida.

Quando perdoa, despoja-se de ondas perturbadoras que lhe ameaçam a casa mental, ampliando a capacidade de amor sem exigência, porque percebe que todas as pessoas se equivocam e são credoras de entendimento, quanto ele próprio o é. Isso lhe proporciona uma empatia favorável à existência terrestre, que perde as marcas agressivas que lhe pareciam ameaçar, constatando a fragilidade humana, que lhe cumpre entender e auxiliar a fortificar-se. É certamente uma lição preciosa para o seu desenvolvimento afetivo, emocional e social. Desde que todas as pessoas são dependentes umas das outras e cometem os mesmos erros com variação de escala e de gravidade, compreende o desafio que é viver com equilíbrio, intercambiando fraternidade, que constitui suporte de vitalidade. Ninguém que viaje pelo rumo da existência terrestre sem o apoio das amizades, sem o intercâmbio fraternal, que não tombe em terrível alienação.

Dessa forma, o perdão, como fenômeno natural entre os indivíduos, fascina o jovem que desperta para a existência adulta, descobrindo que a vida é enriquecedora e que errar é experiência perfeitamente natural, porém levantar-se do erro é compromisso que não pode ser adiado sob pretexto algum. No entanto, para que a pessoa reconsidere a atitude e se erga do deslize, é indispensável que lhe seja oferecida oportunidade, que se lhe distenda a mão amiga sem recriminação ou qualquer outra exigência. Somente assim a vida se torna digna de ser vivida com elevação.

A aprendizagem do perdão pode ser comparada com a metodologia do ensino, aplicada ao cotidiano. A pessoa que se dispõe a aprender qualquer coisa é levada a errar, no começo, repetir a tentativa até que as experiências se fixem no inconsciente e passem espontaneamente à consciência, de onde se irradiam para os hábitos. Assim, também, as conquistas morais, que são resultados de tentames ora com êxitos, ora com insucessos. O erro de um momento ensina como não mais se deve proceder, dessa maneira adquirindo-se o automatismo para agir com correção.

Essa tarefa educadora é reflexo do perdão que se dá e do que se recebe. Ninguém, no mundo, que não necessite de oferecê-lo, tanto quanto de recebê-lo. Concedê-lo, porém, é sempre melhor, porque expressa enriquecimento interior e disposição de auxiliar-crescendo, enquanto consegui-lo traduz equívoco que poderia ser evitado. A aprendizagem, todavia, em qualquer circunstância, oferece valioso contributo para uma existência tranquila.

Todas as criaturas necessitam pensar profundamente no perdão. Quando alguém é ofendido, o seu agressor tomba em nível vibratório e a vítima prossegue no padrão em que se encontra. Se reage, devolvendo o insulto, a agressão, igualmente desce à condição de inferioridade; se permanece em tranquilidade, demora-se no mesmo patamar. Entretanto, quando perdoa, ascende e localiza-se emocional e psiquicamente em situação melhor do que o seu opositor. Não foi por outra razão que Jesus, como Psicoterapeuta Invulgar, proclamou a necessidade do perdão como condição de plenitude para o ser.

O adolescente, descomprometido com ressentimentos anteriores, aberto às novas lições da vida, sempre encontrará, no ato de perdoar, uma forma de realizar-se, preenchendo os vazios do sentimento e superando as constrições de uma família-problema, um lar difícil, circunstâncias perturbadoras que passam a dar significado diferente à sua existência, liberando-o das reminiscências amargas e dos traumas que, por acaso, teimem por permanecer-lhe no ser.

Essa atitude de perdoar é resultado também de exercícios. Ao analisar a situação do agressor, compreendendo que ele se encontra infeliz e exterioriza essa situação mediante a agressividade, torna mais fácil a atitude da desculpa, que se encoraja em olvidar a ofensa, perdoar sinceramente. Inicia-se nas pequenas conjunturas desagradáveis que vão sendo ultrapassadas sem vínculos de mágoas, na necessidade pessoal também de ser compreendido, e, portanto, perdoado, criando um clima de legítima fraternidade que permite ao outro ser aceito conforme se apresenta, entendendo-lhe as dificuldades de amadurecimento e de atitude, dessa forma ajudando-o sem impor-lhe percalços pelo caminho.

O verdadeiro e compensador período da adolescência é aquele que guarda melhores recordações, responsáveis pela estruturação do caráter e da personalidade, devendo ser a fase na qual ocorrem as expressões de amadurecimento psicológico, superando a *criança caprichosa* que não sabe desculpar e abrindo campo para o desenvolvimento do indivíduo compassivo e fraterno, que está disposto a contribuir com valiosos tesouros para a dignificação humana.

Quando se ama, portanto, o perdão é um fenômeno natural, que se exterioriza como consequência da atitude aberta de aceitar o próximo na condição em que se apresenta, porém, exigir-se ser melhor cada dia e mais nobre em cada oportunidade que surge.

19
O ADOLESCENTE E A RELIGIÃO

A religião desempenha um papel importante na formação moral e cultural do adolescente, por propiciar-lhe a visão da imortalidade, dilatando-lhe a compreensão em torno da realidade da vida e dos seus objetivos essenciais.

A religião é portadora de significativa contribuição ética e espiritual na formação do caráter e na afirmação da personalidade do jovem em desenvolvimento. Através dos seus postulados básicos, o educando nela haure a consciência de si e o começo do amadurecimento dos valores significativos, que se lhe incorporarão em definitivo, estabelecendo-lhe paradigmas de comportamento para toda a existência. Mesmo quando, na fase adulta, por esta ou aquela razão, a religião é contestada, ou colocada em plano secundário, ou mesmo combatida, nos alicerces do inconsciente permanecem os seus paradigmas que, de uma ou de outra forma, conduzem o indivíduo nos momentos de decisão significativa ou quando necessita mudar de rumo, ressurgindo informações arquivadas que contribuirão para a decisão mais feliz.

O adolescente traz em si o arquétipo religioso, que remanesce das experiências de outras reencarnações, o que o leva à busca de Deus e da imortalidade do Espírito, de forma que, reencontrando a proposta da fé, assimila-a com facilidade, no início, graças aos seus símbolos, mitos e lendas, do agrado da vida infantil, depois, através das transformações dos mesmos, que passam pelo crivo da razão e se vão incorporar ao seu cotidiano, auxiliando na distinção do que deve realizar, assim como daquilo que não lhe é lícito fazer, por ferir os direitos do seu próximo, da vida e a Paternidade de Deus.

É relevante o papel da religião na *individuação* do ser, que não permite a dissociação de valores morais, culturais e espirituais, reunindo-os em um todo harmônico que lhe proporciona a plenitude.

Na adolescência, os ideais estão em desabrochamento, abrindo campo para os postulados religiosos que, bem direcionados, norteiam com segurança os passos juvenis, poupando o iniciante nas experiências humanas a muitos dissabores e insucessos nas diferentes áreas do comportamento, incluindo aquele de natureza sexual.

Não será por intermédio da castração psicológica, da proibição, mas do esclarecimento quanto aos valores reais e aos aparentes, aos significados do prazer imediato e à felicidade legítima, futura, predispondo-o à disciplina dos desejos, ao equilíbrio da conduta, que resultarão no bem-estar, na alegria espontânea sem condimentos de sensualidade e de servidão aos vícios. Simultaneamente, a proposta religiosa esclarece que o ser é portador de uma destinação superior, que lhe cumpre enfrentar, movimentando os recursos que lhe jazem latentes e convocando-o para o autoaprimoramento.

Quando o adolescente não encontra os paradigmas da religião, torna-se amargo e inapto para enfrentar desafios, fugindo com facilidade para a rebeldia ou o sarcasmo, portas de acesso à delinquência e ao desespero.

Não descartamos os males produzidos pela intolerância religiosa, pelo fanatismo de alguns dos seus membros, sacerdotes e pastores, mas essas são falhas humanas e não da doutrina em si mesma. A interpretação dos conteúdos religiosos sofre os conflitos e dramas pessoais daqueles que os expõem, mas, no seu âmago, todos preconizam o amor, a solidariedade, o perdão, a humildade, a transformação moral para melhor, a caridade, que ficam à margem quando as paixões humanas tomam posse das situações de relevo e comando, fazendo desses indivíduos *condutores espirituais*, que pensam pelos fiéis, conduzindo-os com a dureza dos seus estados neuróticos e frustrações lamentáveis, tornando a religião uma caricatura perniciosa dela mesma ou um instrumento de controle da conduta e da personalidade dos seus membros.

A religião objetiva, essencialmente, conduzir ou reencaminhar a criatura ao Criador, auxiliando-a a reconhecer a sua procedência divina, que ficou separada pela rebeldia da própria conduta, graças ao livre-arbítrio, à opção de ser feliz conforme o seu padrão imediatista, vinculado ao instinto, em detrimento da sublimação dos desejos, que permitiria alcançar a paz de consciência.

Direcionada ao adolescente, a religião marcha com ele pelos labirintos das perquirições e deve estar aberta a discutir todas as colocações que o perturbam ou despertam, de tal forma que se lhe torne auxiliar valiosa para as decisões livres que deve assumir, de maneira a estar em paz interior.

Nas frustrações naturais, que ocorrem durante o desenvolvimento adolescente, a religião assume papel relevante, explicando a necessidade do enfrentamento com os desafios, que nem sempre ocorrem com sucesso, ao mesmo tempo explicando que a dificuldade de hoje se torna vitória de amanhã. Felizmente, hoje, a visão religiosa impõe que a conduta conformista deve ceder lugar ao comportamento espiritual combativo, mediante o qual o fiel resolve-se por assumir atitudes coerentes diante das ocorrências, em vez de aceitá-las sem discussão, o que sempre gerou conflito na personalidade.

Nesse sentido, o Espiritismo, explicando a anterioridade do Espírito ao corpo, a sua sobrevivência à morte física, o mecanismo das reencarnações, demonstra que a luta é o clima ideal da vida e ninguém cresce sem a enfrentar. A resignação não significa aceitar o insucesso, o desar de maneira passiva, porém compreendê-los, investindo valores para superá-los na próxima oportunidade. A realização não conseguida neste momento, logo mais será concretizada, desde que não se demore na aceitação mórbida da ocorrência infeliz.

Estimulando os potenciais internos do ser, conduz às possibilidades que podem ser aplicadas com coragem, programando e reprogramando atividades que lhe ensejem a felicidade, que é a meta da existência terrena.

A sua proposta de salvação não se restringe à vida após a vida, mas à liberação dos conflitos atuais, deixando de lado o caráter redentorista de muitas doutrinas do passado, para despertar no jovem e em todas as pessoas o interesse pela autossuperação dos atavismos e das paixões que os mantêm encarcerados nos desajustes da emoção.

A religião espírita dinamiza o interesse humano pelo seu autoaprimoramento, trabalhando-lhe o mundo íntimo, para que, consciente de si, eleve-se aos patamares superiores da existência, sem abandonar o mundo no qual se encontra em processo de renovação.

Os grandes quesitos que aturdem o pensamento são equacionados de maneira simples, através da sua filosofia otimista, impulsionando o adepto para frente, sem saudades do passado, sem tormentos pelo futuro.

Adentrando-se pelos postulados da religião espírita, o adolescente dispõe de um arsenal valioso de informações para uma crença racional, que enfrenta o materialismo na sua estrutura, usando os mesmos argumentos que a Ciência pode oferecer, ciência que, por sua vez, é, também, a Doutrina Espírita.

20

O ADOLESCENTE E OS FENÔMENOS PSÍQUICOS

Na infância, porque ainda em fase complementar da reencarnação, o Espírito desfruta relativa liberdade, que lhe permite mais amplo contato com a Realidade causal, aquela que diz respeito ao mundo de onde procede. Esse lugar permanece acessível ao seu trânsito, e as impressões mais fortes que dele são trazidas se exteriorizam pelo corpo físico.

Eclodem, então, nessa oportunidade, os fenômenos paranormais, propiciando as faculdades da clarividência e da clariaudiência, particularmente, e, sob mais direta indução dos Espíritos desencarnados, outras manifestações de natureza mediúnica propriamente ditas.

Não obstante, sob a proteção dos guias espirituais, a criança permanece vinculada à Vida plena, tornando-se instrumento dúctil de comunicações medianímicas, mesmo que de forma inconsciente, o que lhe causa, em determinadas situações, receios e desequilíbrios compreensíveis.

Considerando-se, porém, a sua falta de estrutura psicológica, porque em fase de desenvolvimento orgânico e psíquico, ela não deve ser encaminhada para experimentações paranormais, auxiliando-se-lhe, entretanto, mediante os valiosos e oportunos recursos específicos da oração, da água magnetizada, das conversações edificantes, como terapia própria para a sua faixa de idade.

No período da adolescência, porém, em pleno desabrochar das forças sexuais, a mediunidade se apresenta pujante, necessitando de educação conveniente e diretriz adequada para ser controlada e produtiva.

No momento em que a glândula pineal libera os fatores sexuais complementares, e as demais do sistema endócrino contribuem para o desenvolvimento da libido, a primeira, que era veladora da função genésica, transforma-se num fulcro de energia portador de possibilidades de captação parapsíquica, que dá lugar a uma variada gama de manifestações.

Os conflitos comportamentais do adolescente, naturais, nesse período, abrem espaço para um mais amplo intercâmbio com os Espíritos, que se comprazem em afligir e em perturbar, considerando a ignorância da realidade em que se demoram.

Tratando-se de ser humano em progresso com um passado a reparar, o adolescente é convidado ao testemunho evolutivo, por cujo meio se retempera no exercício do bem e das disciplinas morais, fortalecendo-se para desempenhos futuros de alto coturno.

Nesse estágio de capacitação intelectual, o intercâmbio psíquico com os desencarnados torna-se mais viável e fecundo, merecendo cuidados especiais, que orientem o sensitivo para o ministério de amor e de iluminação dele próprio, assim como do seu próximo e da sociedade como um todo.

É expressiva a relação dos adolescentes que foram convidados a atividades missionárias através da mediunidade, confirmando a existência do Mundo espiritual e o seu intercâmbio incessante com as criaturas humanas que habitam o mundo físico.

Joana d'Arc, aos quatorze anos de idade, manteve demorados diálogos com os Espíritos que se diziam Miguel Arcanjo, Catarina e Margarida, considerados santos pela Igreja Católica, que a induziram ao comando do desorganizado exército francês para as lutas contra os ingleses, culminando com a coroação de Carlos VII, em Reims, que a abandonaria depois ao próprio destino de mártir...

Bernadette Soubirous, aos quatorze anos, na gruta de Massabielle, em Lourdes, na França, teve dezoito contínuos encontros com uma Entidade luminosa, que lhe afirmou ser Maria de Nazaré.

Três crianças, na gruta da Iria, em Fátima, Portugal, igualmente mantiveram contato e dialogaram com outro ser espiritual, que informava ser a mesma Senhora.

Catarina e Margarida Fox tornaram-se instrumento da comunicação lúcida com o Mundo espiritual, em Hydesville, nos Estados Unidos, e inauguraram a Era Nova para a comunicabilidade com os seres de Além-túmulo.

Allan Kardec acompanhou e estudou as excelentes mediunidades das adolescentes irmãs Baudin, de Aline Carlótti, de Japhet e de Ermance Dufaux, que contribuíram expressivamente para as incomparáveis páginas de ciência, filosofia e religião que constituem a Codificação do Espiritismo.

Florence Cook, também com quatorze anos, buscou o apoio do notável físico Sir William Crookes, em Londres, para que a estudasse e investigasse exaustivamente, produzindo extraordinárias manifestações de ectoplasmia, nas quais se apresentava materializado o Espírito Katie King.

Daniel Dunglas Home, desde os dez anos de idade tornou-se admirável médium de efeitos físicos, havendo sido investigado demoradamente por eminentes cientistas que lhe autenticaram as faculdades mediúnicas, o mesmo que fizeram inúmeras cortes europeias pelas quais passeou a sua paranormalidade.

Mais recentemente, inumeráveis instrumentos mediúnicos deram início ao desdobramento das suas faculdades paranormais exuberantes, que brotaram na infância e atingiram o apogeu no período da adolescência, tornando-se verdadeiros exemplos dignos de ser seguidos, pela abnegação e edificação dos ideais do bem que realizaram e que prosseguem desenvolvendo.

É perfeitamente compreensível que, nessa fase de autoidentificação, o adolescente desperte para o patrimônio que nele se encontra latente e que se exterioriza sob o aluvião de energias pujantes, a fim de canalizá-las para a sua completude, o seu perfeito equilíbrio psicofísico

Inúmeros fenômenos, portanto, que ocorrem no desenvolvimento do adolescente – conflitos fóbicos, transtornos neuróticos e psicóticos, insegurança, insônia, instabilidade sexual –, além das conhecidas causas genéticas, psicológicas, psicossociais, também podem ter sua origem nas obsessões, que são interferências de Espíritos sem orientação no comportamento do jovem, como desforços de dívidas pretéritas ou mecanismos de burilamento interior para o próprio progresso moral.

Da mesma forma que o desabrochar da adolescência exige valiosos contributos da família, da escola, da sociedade, a Religião Espírita é também convidada a brindar esclarecimentos e terapias para bem conduzir a paranormalidade, as manifestações mediúnicas que fazem parte da existência e se integram em a natureza humana.

A mediunidade é faculdade da alma que o corpo reveste de células para facultar o intercâmbio entre os Espíritos e as criaturas humanas, constituindo um *sexto sentido*, que integrará as funções orgânicas de todos os indivíduos.

O adolescente deve enfrentar os desafios de natureza parapsicológica e mediúnica com a mesma naturalidade com que atende as demais ocorrências do período de transição, trabalhando-se interiormente para crescer moral e espiritualmente, tornando a vida mais digna de ser vivida e com um significado mais profundo, que é o da eternidade do ser.

21
A GRAVIDEZ NA ADOLESCÊNCIA

A gravidez na adolescência é um dos grandes problemas-desafios da atualidade, em razão do número crescente de jovens despreparadas para a maternidade, que se deparam em situação deveras perturbadora, gerando grave comprometimento social.

Dominados pela curiosidade e espicaçados por uma bem urdida estimulação precoce, que faculta a promiscuidade dos relacionamentos, os adolescentes facilmente entregam-se às experiências sexuais sem nenhuma preparação psicológica, menos ainda responsabilidade de natureza moral.

Desconhecendo os fatores propiciatórios da fecundação e sem qualquer orientação cultural em torno do intercâmbio sexual, permitem-se o intercurso dessa natureza com sofreguidão e sob conflitos, tendo de enfrentar o gravame da concepção fetal.

Ao darem-se conta da ocorrência inesperada, recorrem a expedientes perigosos, a pessoas inescrupulosas, quase sempre interessadas na exploração da ignorância, e culminam na execução do crime covarde do aborto clandestino, com todos os riscos decorrentes dessa atitude cruel.

Iniciada a malfadada fuga, novas ocorrências criminosas têm lugar, porque o adolescente perde a identidade moral e, aturdido, deixa-se arrastar a novos tentames, cujos resultados são sempre infelizes. Quando isso não ocorre, porque destituídos do sentimento de amor, que os poderia unir, são as futuras mães deixadas à mercê da família ou da própria sorte, trazendo ao mundo os desamparados rebentos que experimentarão a orfandade, não obstante os pais desorientados permaneçam vivos.

Despertando lentamente para os sentimentos mais graves e dando-se conta da alucinação juvenil, agora irreversível, essas jovens imaturas e frustradas atiram-se nos resvaladouros do descalabro, perdendo o senso da dignidade feminina e tornando-se *objetos* de fácil posse, quando não recorrem às fugas desordenadas pelas drogas químicas, pelo álcool, pela prostituição destruidora.

Urgem atitudes que possam despertar os adolescentes para a utilização do sexo com responsabilidade, na idade adequada, quando houver equilíbrio físico-psíquico, amadurecimento emocional com a competente dose de compreensão dos efeitos que decorrem das uniões dessa natureza.

O sexo é um órgão com função específica e portador de exigências graves na área dos deveres, que aparecem como consequência do seu uso. Quando utilizado com insensatez, sem o contributo da razão, por desejos infrenes, ao envolver os parceiros estabelece um vínculo emocional que não deve ser rompido levianamente. Muitas tragédias dos sentimentos têm início nas rupturas abruptas da afetividade despertada pelo interesse sexual. Pode uma das pessoas não estar realmente interessada na outra, não obstante a recíproca pode não ser verdadeira, e, ao sentir-se a sós, aquele que se encontra abandonado passa a experimentar tormentos e conflitos muito perturbadores, quando não se rebela contra a função sexual, gerando problemas mais profundos, que irão comprometer-lhe toda a existência, em razão da leviandade de quem se foi, indiferente pelo destino de quem ficou...

Na adolescência, porque os interesses giram em torno da identidade, da sexualidade, da afirmação da personalidade, além de outros, a atração entre os jovens é inevitável, produzindo grande empatia e estímulos que devem ser cultivados, porquanto isso faz parte da formação do seu conceito de sociedade e de autorrealização. Todavia, é indispensável insistir quanto aos cuidados que devem ser tomados pelos moços em razão da precipitação em assumir atitudes e compromissos para os quais não estão preparados, tornando-se fáceis vítimas da imprudência e do desconhecimento.

Sob outro aspecto, porque os sentimentos ainda não estão maduros e o desconhecimento da função sexual é total, o ato não corresponde à expectativa ansiosa do adolescente, que se sente defraudado, receando novas experiências, ou precipitando-se em outras tantas a fim de descobrir os encantamentos a que as demais pessoas se referem com entusiasmo e que ele não vivenciou.

A educação sexual, portanto, tem regime de grande urgência, ao lado de um programa de dignificação da função genésica muito barateada por personagens atormentadas, que se tornam líderes da massa juvenil, e que, fugindo dos próprios conflitos perturbadores, estimulam-lhes o uso desordenado. Outras vezes, mediante caricaturas perversas, procuram influir na conduta juvenil, massificando todos no mesmo nível de comportamento estranho e inquietador, deixando-os insaciáveis e cínicos, enquanto afirmam que a única função da vida é o prazer imediato, sendo o sexo a válvula de escapamento para a insegurança, a insatisfação emocional e o fracasso de que se sentem possuídos, mesmo quando se sentam nos tronos dos triunfos ilusórios que a mídia lhes proporciona, sem os realizarem interiormente.

A maternidade é o momento superior de dignificação da mulher, quando todos os valores do sentimento e da razão se conjugam para o engrandecimento da vida. Faltando à adolescente experiência e conhecimento dos valores existenciais durante a gravidez, o período é atormentado, sendo transmitido ao feto inquietação e desassossego, quando não a revolta pela concepção indesejada.

Raramente acontece o fenômeno da compenetração maternal, quando se trata de Espírito afim, que volve ao regaço da afetividade de maneira inesperada, recompondo o passado de lutas e desares, com que ambos se encontram nos caminhos do amor: mãe e filho.

A maternidade na adolescência é dos mais tormentosos fenômenos que o sexo irresponsável produz, em face das consequências que gera.

Orientar o adolescente quanto aos valores do sexo, ante a vida e o amor, é dever que todos os indivíduos se devem impor, auxiliando a mentalidade juvenil a encontrar o rumo de segurança para a felicidade, sem as cargas aflitivas provindas da leviandade do período anterior.

22

O ADOLESCENTE E OS TRANSTORNOS SEXUAIS

Na fase do desenvolvimento orgânico do jovem, a glândula hipofisária desempenha papel preponderante a fim de que ocorra o crescimento na puberdade.

Essa glândula se encontra localizada na base do cérebro, a ele se ligando por intermédio de fibras nervosas. Por ocasião do amadurecimento das células que constituem o hipotálamo, que é um centro nervoso regulador do equilíbrio, sinais específicos são direcionados à glândula hipofisária para que sejam liberados os hormônios que se encontram inibidos. Essa liberação produz um imediato efeito na maioria das glândulas do sistema endócrino, tais a tireoide, a epífise, a adrenal, os testículos, os ovários, que se encarregam de produzir os seus hormônios, tais os andrógenos, que são masculinizantes, os estrogênios, que são feminilizantes, as progestinas – específicas para proporcionar a gravidez – que desempenham papel fundamental no crescimento e no desenvolvimento do sexo.

Definem-se, concomitantemente, os caracteres anexos das expressões sexuais, completando as formas biológico-

-anatômicas e contribuindo para a identidade e a psicologia do adolescente.

Cargas genéticas manifestam-se e o tumulto emocional se estabelece, nem sempre de forma harmônica, dando surgimento aos conflitos que irão afetar-lhe o comportamento, gerando, algumas vezes, patologias graves.

Fatores variados interferem nesse momento e, graças à presença da progesterona e de outros hormônios em ambos os sexos, o jovem pode revelar simultaneamente tendências e eleição por atividades femininas, facultando-lhe uma conduta andrógina, o mesmo ocorrendo com a moça que se resolve por esportes que exigem força e habilidades comuns ao homem, ou adota profissões de comando, de ação fora do lar na competitividade do mercado de trabalho.

Essa androginia tem enriquecido muitos adolescentes, auxiliando-os a desenharem o futuro e conquistá-lo, desde que não permitam ao tecido moral e social esgarçar-se nos devaneios perturbadores que empurram para a homossexualidade na sua feição promíscua.

Por outro lado, os fatores psicossociais e domésticos podem levar o jovem a uma preferência psicológica e afetiva por outrem do mesmo sexo, sem que se manifestem as tendências para a conduta expressa em relacionamentos profundos de intercurso desequilibrante, que lhe afetem o comportamento orgânico e emocional.

A frustração materna, da genitora que anelava por um filho e gerou uma menina, ou vice-versa, passando a cuidar do ser em formação conforme houvera preferido recebê-lo, pode contribuir para que se instale uma distonia entre a forma e a psicologia da criança, mais tarde adolescente, engendrando mecanismo de fuga para a incorporação da personalidade que lhe foi projetada e não lhe corresponde à forma física.

Nesse capítulo, ainda têm destaque a preferência doentia da *supermãe*, as atitudes da *mãe castradora*, do pai arbitrário ou negligente, que interferem no desenvolvimento do filho, imprimindo-lhe no inconsciente imagens falsas da realidade, que ressumam na adolescência em forma de desidentificação sexual, dando lugar aos conflitos, à insegurança quanto à sua capacidade de relacionamento equilibrado e estável, sem as preferências e opções homossexuais ou bissexuais, ou, ainda, sadomasoquistas, ou mesmo patológicas em geral...

Aprofundando mais a sonda nas psicogêneses da homo e da bissexualidade, o Espírito, em si mesmo, é sempre o modelador da sua organização através do corpo intermediário – o perispírito – que plasmou uma anatomia corretora para os desmandos pretéritos na área do sexo, preservando a psicologia anterior, portanto diferente da anatomia.

O homem tirano e pervertido que explorou mulheres, que as submeteu às suas paixões lúbricas e as infelicitou, por necessidade de evolução recomeça no corpo com a forma feminina e as aptidões psicológicas masculinas. Da mesma maneira, a mulher que viveu da sensualidade e da perversão, havendo contribuído para sofrimentos nos lares equilibrados ou produzindo dilacerações nas almas, renasce no corpo masculino com as matrizes psicológicas femininas ou em dificuldade de identificação sexual...

Vemo-los, na infância, desde os primeiros instantes do seu desenvolvimento, revelando interesse, usando roupas e apresentando ademanes do sexo oposto ao seu, e, ao crescerem, demonstrando maior soma de caracteres divergentes, inclusive na área da afetividade.

Nenhuma restrição a essas manifestações, perfeitamente naturais no decorrer do desenvolvimento e conquista evolutiva, passando pelas várias expressões de forma orgânica no sexo, a fim de somarem os valores e significados de um como os de outro – *anima* e *animus, yang* e *yin* – no processo de formação de um ser ideal, harmônico, saudável.

Na atualidade, também contribui largamente para a opção sexual, em oposição à própria polaridade, a bem urdida propaganda apresentada pela mídia, que alcança o adolescente em indecisão ou em insegurança, direcionando-o para condutas homo e bissexual, ou outras denominadas pervertidas que caracterizam estados psicopatológicos.

Ainda poderíamos recorrer à *iniciação*, quando adultos perversos e doentes estupram, ou desviam a atenção sexual do jovem em formação, empurrando-o para comportamentos alienados, em flagrante violência à sua liberdade de conduta.

Lamentavelmente, o uso indevido e alucinante do sexo irresponsável, em qualquer expressão na qual se apresente, responde por sérios distúrbios que assolam o organismo social, desajustando as criaturas que se movimentam estranhas, caricatas, ridículas umas, alienadas outras, não se contabilizando aquelas que *fogem* para a depressão, o alcoolismo, as drogas aditivas, em decorrência das distonias sexuais que não conseguem superar.

Urge criar-se no adolescente a mentalidade do amor em relação à vida e especificamente ao sexo, em face da sua complexidade, da sua função e finalidade, fundamentais na existência humana.

Procedente dos *instintos agressivos* e reprodutores por onde transitou o psiquismo em largo período, ao humanizar-se, sofre o pesado ônus dos automatismos, que à razão cumpre administrar e canalizar para os futuros cometimentos da iluminação interior.

Diante de qualquer distúrbio sexual ou mesmo da harmônica polaridade, antes de o adolescente ou mesmo o adulto se permitirem o uso, a ação promíscua ou abusiva, pergunte-se ao amor que fazer e como realizá-lo, e o amor responderá: *Não faça a outrem o que não gostaria que ele lhe fizesse, tampouco se faça a si mesmo, fruindo hoje um prazer fugaz, que resulta em um largo despertar entre danos prolongados.*

23

O ADOLESCENTE E O PROBLEMA DAS DROGAS

Entre os impedimentos para a autoidentificação, no período da adolescência, destaca-se a rejeição.

Caracterizado pelo abandono a que se sente relegado o jovem no lar, esse estigma acompanha-o na escola, no grupo social, em toda parte, tornando-o tão amargurado quão infeliz.

Sentindo-se impossibilitado de autorrealizar-se, o adolescente, que vem de uma infância de desprezo, foge para dentro de si, rebelando-se contra a vida, que é a projeção inconsciente da família desestruturada, contra todos, o que é uma verdadeira desdita. Daí ao desequilíbrio, na desarmonia psicológica em que se encontra, é um passo.

Os exemplos domésticos, decorrentes de pais que se habituaram a usar medicamentos sob qualquer pretexto, especialmente *Valium* e *Librium*, como buscas de equilíbrio, de repouso, oferecem aos filhos estímulos negativos de resistência para enfrentar desafios e dificuldades de toda natureza. Demonstrando incapacidade para suportar esses problemas sem a ajuda de mecanismos químicos ingeridos, abrem espaço na mente da prole, para que, ante dificuldades, fuja para os recantos da *cultura das drogas* que permanece em voga...

Por outro lado, a exuberante propaganda a respeito dos indivíduos que vivem buscando remédios para quaisquer pequenos achaques, sem o menor esforço para vencê-los através dos recursos mentais e atividades diferenciadas, produz estímulos nas mentes jovens para que façam o mesmo, e utilizem-se de outro tipo de drogas, aquelas que se transformam em epidemia que avassala a sociedade e a ameaça de violência e loucura.

O alcoolismo desenfreado, sob disfarce de bebidas sociais, levando os indivíduos a estados degenerativos, a perturbações de vária ordem, torna-se fator predisponente para as famílias seguirem o mesmo exemplo, particularmente os filhos sem estrutura de comportamento saudável.

O tabagismo destruidor, inveterado, responde pelas enfermidades graves do aparelho respiratório, criando dependência irrefreável, transformando-se em estímulo nas mentes juvenis para a usança de tais *bengalas psicológicas*, que são porta de acesso a outras substâncias químicas mais perturbadoras.

A utilização da maconha, sob a justificativa de não ser aditiva, apresentada como de consequências suaves e sem perigo de maiores prejuízos, com muita propriedade também denominada *erva do diabo*, cria, no organismo, estados de dependência que facultarão a utilização de outras substâncias mais *pesadas*, que dão acesso à loucura, ao crime, em desesperadas deserções da realidade, na busca de alívio para a pressão angustiante e devoradora da paz.

Todas essas drogas tornam-se convites-soluções para os jovens desequipados de discernimento, que se lhes entregam inermes, tombando, quase irremissivelmente, nos seus vapores venenosos e destruidores, que só a muito custo conseguem superar, após exaustivos tratamentos e esforço hercúleo.

Os conflitos, de qualquer natureza, constituem os motivos de apresentação falsa para que o indivíduo atire-se ao uso e abuso de substâncias perturbadoras, hoje ampliadas com os barbitúricos, a heroína, a cocaína, o *crack* e outros opiáceos.

E não faltam conflitos na criatura humana, principalmente no jovem que, além dos fatores de perturbação referidos, sofre a pressão dos companheiros e dos traficantes que se encontram nos seus grupos sociais com o fim de os aliciar; a rebelião contra os pais, como forma de vingança e de liberdade; a fuga das pressões da vida, que lhe parece insuportável; o distúrbio emocional, entre os quais se destacam os de natureza sexual...

A educação no lar e na escola constitui o valioso recurso psicoterapêutico preventivo em relação a todos os tipos de drogas e substâncias aditivas, desvios comportamentais e sociais, *bengalas psicológicas* e outros derivativos.

A estruturação psicológica do ser é-lhe o recurso de segurança para o enfrentamento de todos os problemas que constituem a existência terrena, realizando-se em plenitude, na busca dos objetivos essenciais da vida e aqueloutros que são consequências dos primeiros.

Quando se está desperto para as finalidades existenciais que conduzem à autorrealização, à autoidentificação, todos os problemas são enfrentados com naturalidade e paz, porquanto ninguém amadurece psicologicamente sem as lutas que fortalecem os valores aceitos e propõem novas metas a conquistar.

Os mecanismos de fuga pelas drogas normalmente produzem esquecimento, *fugas* temporárias ou *sentimento de maior apreciação da simples beleza do mundo*, o que é de duração efêmera, deixando pesadas marcas na emoção e na conduta, no psiquismo e no soma, fazendo desmoronar todas as construções da fantasia e do desequilíbrio.

É indispensável oferecer ao jovem valores que resistam aos desafios do cotidiano, preparando-o para os saudáveis relacionamentos sociais, evitando que permaneça em isolamento que o empurrará para as fugas, quase sem volta, do uso das drogas de todo tipo, pois que essas fugas são viagens para lugar nenhum.

Sempre se desperta desse pesadelo com mais cansaço, mais tédio, mais amargura e *saudade* do que se haja experimentado, buscando-se retornar a qualquer preço, destruindo a vida sob os aspectos mais variados.

Por fim, deve-se considerar que a facilidade com que o jovem adquire a droga que lhe aprouver, tal a abundância que se encontra ao alcance, constitui-lhe provocação e estímulo, com o objetivo de fazer a própria avaliação de resultados pela experiência pessoal. Como se, para conhecer-se a gravidade, o perigo de qualquer enfermidade, fosse necessário sofrê-la, buscando-lhe a contaminação e deixando-se infectar.

A curiosidade que elege determinados comportamentos desequilibradores já é sintoma de surgimento da distonia psicológica, que deve ser corrigida no começo, a fim de que se seja poupado de maiores conflitos ou de viagens assinaladas por perturbações de vária ordem.

Em todo esse conflito e fuga pelas drogas, o amor desempenha papel fundamental, seja no lar, na escola, no grupo social, no trabalho, em toda parte, para evitar ou corrigir o seu uso e o comprometimento negativo.

O amor possui o miraculoso condão de dar segurança e resistência a todos os indivíduos, particularmente os jovens, que mais necessitam de atenção, de orientação e de assistência emocional com naturalidade e ternura.

Diante, portanto, do desafio das drogas, a terapia do amor, ao lado das demais especializadas, constitui recurso de urgência, que não deve ser postergado a pretexto algum, sob pena de agravar-se o problema, tornando-se irreversível e de efeitos destruidores.

24
O ADOLESCENTE E O PERIGO DA AIDS

A adolescência é a formosa fase da existência física, na qual o sonho e a fantasia dão-se as mãos, na busca do fantástico e do deslumbramento. Rica de inexperiências, o seu é o campo da pesquisa, da vivência e mediante esses comportamentos o jovem adquire maturidade, descobre o mundo e aprende a discernir entre aquilo que deve ou não fazer. Cada erro ensina-o a corrigir-se e a adquirir capacidade para o futuro acerto, desde que se encontre forrado de ideais de legítimo interesse pela aprendizagem. Os seus parâmetros renovam-se com muita frequência, porque a ilusão de um momento transforma-se em realidade noutro, assim impulsionando-o a novas tentativas.

Descobrindo a própria sexualidade e a do seu próximo, a curiosidade povoa-lhe o universo da mente e os desejos espocam no corpo em forma de ansiedade, às vezes malcontida.

Não tendo uma formação ética bem consolidada, é direcionado para iniciação vulgar, relâmpago, destituída de compromisso, correndo o risco de contaminar-se de inúmeras enfermidades, particularmente a sífilis com todo o seu séquito de sequelas e a AIDS.

Evitando os mecanismos preventivos de contágio, ou porque a ocorrência apresenta-se precipitadamente, ou em circunstâncias imprevistas, torna-se mais vulnerável aos riscos das doenças infectocontagiosas, dentre as quais se destaca a ora denominada *peste branca*.

Outrossim, atraído ao consumo de drogas injetáveis, entre tormentos e ansiedades volumosas, participa das sessões coletivas, utilizando-se de agulhas usadas, que se fazem portadoras do vírus e torna-se, sem o perceber, soropositivo, abrindo campo para a degenerescência orgânica futura.

Somente a educação dos hábitos sexuais, através da disciplina bem direcionada, e a total abstinência de uso de drogas de qualquer natureza, especialmente as injetáveis, podem assegurar ao indivíduo em geral e ao adolescente em particular permanecerem imunes à AIDS.

Certamente existem os casos das transfusões de sangue contaminado, que a diligência das autoridades sanitárias e médicas podem e devem evitar, no entanto a ocorrência de casos é bem menor do que naqueles acima referidos.

Mesmo quando se recomenda o uso de preservativos para os relacionamentos sexuais seguros, merece seja considerado que o vírus da AIDS é menor que o poro do látex, que é matéria-prima essencial para a confecção dos mecanismos preventivos. Tem havido muitos casos nos quais o espermatozoide atravessa o látex protetor e realiza a fecundação feminina, isto porque ele mede cerca de três micra, tamanho menor do que os poros do preservativo. Considerando-se que o vírus da AIDS é dez vezes menor do que o espermatozoide, portanto, medindo aproximadamente 0,1 micra, as possibilidades de atravessarem os poros do látex são incontáveis.

As pessoas gostam muito de vivenciar regimes de exceção e é muito comum asseverarem que determinadas ocorrências negativas não lhes acontecem, como se a sua leviandade as imunizasse contra as consequências desastrosas da insensatez.

Da mesma forma pensam muitos adolescentes, que se entregam a riscos desnecessários, confiando na *boa fortuna* ou na *fada madrinha*, que os iriam proteger mesmo sem qualquer merecimento da parte deles.

Qualquer fator degenerativo, que decorra de contaminação microbiana ou virótica, atinge todas as criaturas humanas, não havendo pessoas imunes à ocorrência.

Os cientistas detectaram pouquíssimos indivíduos que se não contaminaram com o vírus HIV, não obstante os relacionamentos promíscuos que se têm permitido na área do sexo, e os estudam, procurando respostas para o fato, cujas razões devem encontrar-se na estrutura orgânica através de resistências específicas. Da raridade do acontecimento à generalização, medeia, no entanto, uma distância infinita, que não pode ser ignorada.

Quando o indivíduo se permite licenças morais, não apenas as suas defesas orgânicas entram em desequilíbrio, mas também aquelas que procedem do Espírito através do psiquismo, fonte geradora da vida. O hábito doentio da permissividade produz *enzimas* psíquicas que agridem o sistema imunológico e desarticulam as defesas do corpo. Ademais, fazemos parte do grupo de estudiosos que acreditam possuírem, as células, um tipo de *consciência embrionária individual*, que merece respeito, por cujo intercâmbio se obtém a de natureza global, aquela que é expressa pelas experiências do ser espiritual.

Assim sendo, toda vez que a mente desavisada ou viciosa planeja atividades perturbadoras e vulgares, agride a *consciência* de equilíbrio com diversas células, que passam a funcionar irregularmente, dando início ao campo receptivo para as infecções, as contaminações. Esse acontecimento poderia ser então considerado da seguinte forma: não são os micro-organismos destrutivos que produzem as doenças no ser humano, mas o psiquismo em deterioramento, que abre campo vibratório para que os invasores se instalem e desenvolvam os processos de enfermidades.

A partir do momento em que se reconsiderem atitudes e linhas de pensamentos, contribui-se definitivamente para a mudança de campo propiciatório à recomposição da saúde, ao tempo em que as substâncias medicamentosas produzirão os efeitos desejados por melhor receptividade celular.

A mente e o comportamento estão associados aos complexos mecanismos da saúde e da doença, contribuindo de forma eficaz para a instalação de uma ou de outra.

No caso do adolescente, em razão da sua imaturidade e da falta de reflexão mental no cotidiano, o problema das infecções é muito mais perturbador, porquanto, ao detectar qualquer processo em instalação, o medo o assalta, passando a contribuir psiquicamente para a sua ampliação.

Uma conduta saudável, que resulta de pensamentos edificantes e equilibrados, constitui o melhor caminho para uma existência juvenil feliz, sem os riscos dos desequilíbrios emocionais nem das enfermidades degenerativas, particularmente da AIDS, cuja cura ainda se encontra algo distante de ser conseguida, embora as notícias auspiciosas que aparecem a cada momento.

Vida, portanto, saudável, em qualquer período da existência, particularmente na adolescência, é receita para a felicidade.

25
O ADOLESCENTE E O SUICÍDIO

Não conseguindo a autoidentificação mediante o processo de educação a que se encontra submetido, ou portador de um distúrbio psicótico maníaco-depressivo que não conseguiu superar, ou experimentando frustrações decorrentes de conflitos íntimos, o adolescente imaturo opta pela solução adversa do suicídio.

Sem estrutura emocional para enfrentar os imperativos psicossociais, ou mesmo os desafios dos relacionamentos interpessoais, ou aturdido pelas sequelas das drogas aditivas, ou empurrado a plano secundário no lar, o adolescente parece não encontrar caminho que deva ser percorrido, tombando no autocídio infame, de consequências, infelizmente, imprevisíveis e estarrecedoras.

Ignorando a realidade da vida na sua magnitude e profundidade, procura solucionar os problemas normais, pertinentes ao seu crescimento, da maneira mais absurda, que é a busca da morte, em cujo campo ressurge vivo, agora sob a carga insuportável da ocorrência elegida para fugir do combate, que o elevaria a estágio superior de conhecimento e de autorrealização.

A existência corporal é enriquecedora, exatamente por ser constituída de ocorrências, às vezes antagônicas, que aparentemente se chocam, quando em realidade se completam, quais sejam a alegria e a tristeza, a saúde e a enfermidade, o êxito e o fracasso, a conquista e a perda, o bem e o mal, que se harmonizam em fascinantes mosaicos de experiências, resultando em vivências positivas pelo processo de atravessar e conhecer as diferentes áreas do mecanismo da evolução. Não houvesse esses fenômenos díspares e nenhum sentido existiria na metodologia do conhecimento, por faltar a participação ativa nos acontecimentos que fazem o cotidiano.

A desinformação a respeito da imortalidade do ser e da reencarnação responde pela correria alucinada na busca do suicídio, com a proposta de encontrar nele solução para as dificuldades que são ensanchas de progresso, sem as quais se permaneceria estacionado no patamar em que se transita. E essa falta de esclarecimento é maior no período infantojuvenil, como compreensível, facultando a fuga hedionda da existência carnal, rumando para a tragédia da continuação da experiência que se desejou abandonar, agora piorada pelos efeitos trágicos da ação infeliz, que aumenta o fardo de desar, exatamente por causa do alucinado e covarde gesto de fuga.

O ser humano está fadado à glória estelar, que deverá conquistar a esforço pessoal, galgando cada degrau que o leva às alturas com o esforço próprio, mediante o qual se aprimora e consegue superar-se. Toda ascensão provoca reações compatíveis com o estágio que se alcança, exigindo renovação de forças, ampliação de resistência para conseguir os cumes anelados. É natural, portanto, que surjam impedimentos que se apresentam como testes de avaliação, que selecionam aqueles que se encontram mais bem dotados e fortalecidos para o êxito.

Desistência é prejuízo na economia da autorrealização, e fuga é desastre no empreendimento da evolução, que ninguém consegue sem grandes prejuízos.

No período de infância e de adolescência, o ser forma o caráter sob as heranças das reencarnações anteriores, que se expressam, nem sempre de forma feliz, produzindo, às vezes, choques e dores que devem ser atenuados, canalizados pela educação, pelos exercícios moralizadores, até que se fixem as disposições definidoras do rumo feliz. Nunca, porém, a caminhada se dará sem dificuldade, sem tropeço, sem esforço. Quem alcança uma glória sem luta, não é digno dela.

O suicídio brutal, violento, é crueldade para com o próprio ser. No entanto, há também o indireto, que ocorre pelo desgastar das forças morais e emocionais, das resistências físicas no jogo das paixões dissolventes, na ingestão de alimentos em excesso, de bebidas alcoólicas, do fumo pernicioso, das drogas aditícias, das reações emocionais rebeldes e agressivas, do comportamento mental extravagante, do sexo em uso exagerado, que geram sobrecargas destrutivas nos equipamentos físicos, psicológicos e psíquicos...

O materialismo, que infelizmente grassa, sem qualquer disfarce, na sociedade, que se apresenta em grupos religiosos, salvadas as naturais exceções, coloca suas premissas no comportamento das pessoas e as propele para a conquista hedonista, para o gozo material exclusivo, empurrando as suas vítimas para as fugas alucinantes, quando os propósitos anelados não se fazem coroar pelos resultados esperados.

O adolescente, vivendo nesse clima de lutas acerbas e não havendo recebido uma base moral de sustentação segura, na vida física vê somente a superficialidade, o prazer mentiroso, a ilusão que comanda os comportamentos de todos, em terríveis campeonatos de loucura.

Desfilam os líderes da aberração nos carros do triunfo enganoso, e muitos deles, não suportando a coroa pesada que os verga, são tragados pela *overdose* das drogas do desespero, que os retira do corpo mais dementados e atônitos do que antes se encontravam.

Noutros casos, são consumidos pelas viroses irreversíveis, especialmente pela síndrome de imunodeficiência adquirida, que os exaure e consome a pouco e pouco, tornando-os fantasmas desprezíveis e aparvalhantes para aqueles mesmos que antes os endeusavam, imitavam e buscavam a sua convivência a peso de ouro e de mil abjeções.

O adolescente, cuja formação padece constantes alterações comportamentais, necessitando de apoio e de diretriz emocional, desejando viver experiências adultas, sem alicerces psicológicos de segurança, naufraga, sem forças, arrastado pelas poderosas correntezas dos grupos sociais, nos quais transita, grupos esses quase sempre constituídos por enfermos e desestruturados quanto ele próprio.

Quando o lar tornar-se escola de real educação, e a escola transformar-se em lar de formação moral e cultural, a realidade do Espírito fará parte das suas programações éticas, sem o caráter impositivo de doutrina religiosa compulsivo-obsessiva, porém com a condição de disciplina educativo-moralizadora que é, da qual ninguém se poderá evadir ou simplesmente ignorar, então o suicídio na adolescência cederá lugar à resistência espiritual para enfrentar as vicissitudes e os desafios, mediante amadurecimento íntimo e compreensão dos valores éticos que constituem a vida.

Através de uma visão correta sobre a realidade do ser, de seu destino, dos seus objetivos na Terra, o adolescente aprenderá a esperar, semeando e cuidando da gleba na qual prepara o futuro, a fim de colher os frutos especiais no momento próprio, frutos esses que não lhe podem chegar antes do tempo.

Descartando-se as impulsões autodestrutivas, que resultam de psicopatologias graves, mas também podem ser devidamente tratadas, as ocorrências que levam ao suicídio na adolescência serão sanadas, e se alterará a paisagem emocional do jovem, a fim de que ele desenvolva o seu processo reencarnatório em paz e esperança, ganhando conhecimentos, adquirindo sabedoria e construindo o mundo novo no qual o amor predominará, a infância e a juventude receberão os cuidados que merecem na sua condição de perenes herdeiros do futuro.